CB067065

anna muylaert
quando o sangue
sobe à cabeça

LOTE 42

prefácio 7
1 **o segredo de célia** 13
2 **o pulo do gato** 21
3 **a origem dos bebês** 41
segundo Kiki Cavalcanti
4 **quando o sangue sobe à cabeça** 57
5 **procurando pelo em ovo** 93
6 **padecendo no paraíso** 115

prefácio

Logo após a minha saída da Escola de Cinema da Universidade de São Paulo, quando eu pretendia dar meus passos iniciais como diretora, Collor derrotou Lula na primeira eleição direta para presidente e, alguns meses depois, além de sequestrar as poupanças e deixar o país em polvorosa, fechou a Embrafilme, o órgão estatal que geria o cinema na época. Para uma geração acima da minha, essa decisão foi uma grande puxada de tapete. Para a minha geração, representou um atraso de quase dez anos para o início da carreira.

Nesse período melancólico, quando o desejo de fazer cinema parecia mais uma utopia inalcançável, eu e meus colegas da ECA nos virávamos como podíamos. Alguns fizeram vídeos institucionais; outros, publicidade, teatro, literatura. Eu fiz crítica de cinema, livros de poesia, videoclipes, curtas-metragens. Fui repórter-abelha no extinto e lendário programa *TV Mix*, da TV Gazeta, e me iniciei nos roteiros de ficção na área de programas infantis da TV Cultura.

Mais tarde, em meados dos anos 1990, quando eu estava em casa cuidando do meu primeiro filho, José, que ainda não tinha feito um ano, Carla Camurati lançava *Carlota Joaquina*. Anunciava-se a tão esperada retomada do cinema brasileiro. Logo alguns longas começaram a ser lançados, e eu, envolta em fraldas e mamadeiras, voltei a acalentar o sonho de dirigir um longa-metragem. Resolvi escrever um filme.

Mas que filme?

Entrei numa grande angústia. Eu tinha consciência de que não tinha muita experiência na área e, ao mesmo tempo, não queria fazer qualquer coisa. Eu não queria ser uma diretora que fizesse qualquer tipo de filme. Queria ter um estilo próprio, que me desse norte não apenas para um primeiro filme, mas também para todos os que viriam depois. Mas como eu poderia saber qual seria esse estilo se eu nunca havia feito um filme? Me debati um tempo com essa questão e, então, decidi escrever uma série de contos. Pensei que, se escrevesse vários contos, naturalmente eu exercitaria a minha capacidade criativa e, possivelmente, começaria a entender quais temas eram mais naturais a mim e como eu os abordaria. Resolvi escrever essa série de contos sobre mulheres.

Assim nasceu este livro. Durante tardes e tardes, enquanto o bebê dormia, eu fugia para o escritório religiosamente. Comecei a criar personagens e histórias, inicialmente mais simples; depois, cada vez mais complexas, como um ensaio para um possível primeiro filme. Ao contemplar minha própria produção solitária, fui aos poucos percebendo uma tendência natural ao humor ácido para contar histórias dramáticas. Comecei a gostar de escolher os nomes das personagens e a perceber como eles acabavam influenciando suas personalidades e ações. Depois dos contos, escrevi um romance, intitulado *A porta da cozinha*, sobre uma subserviente empregada de família que era também mãe de santo na sua comunidade.

Mas, curiosamente, depois de escrever uma dezena de contos e um romance em torno de personagens femininas, acabei fazendo o roteiro de *Durval discos*, cujo protagonista é um homem, mas um homem às voltas com uma mãe dominadora, tema que aparece também aqui e em todos os meus filmes.

Relendo esses contos para sua primeira edição — mais de duas décadas depois —, tive a impressão de estar fazendo uma viagem no tempo, entrando em contato comigo mesma vinte anos mais nova e como feto de tudo o que faço hoje. Tive a sensação de estar lendo o nascimento da trama de uma colcha de histórias que nunca terminou de ser tecida. As pulsões já estavam todas aqui. O conto que dá nome ao livro já esboça na sua personagem mais querida a empregada da família — porém com um final à moda antiga. O conto que termina o livro é sobre tornar-se mãe, esse tema que, de tanto me perseguir, já parece um outro filho.

Fiquei feliz com a releitura. Não me lembrava de muita coisa e fui me surpreendendo ou achando graça, tanto das minhas observações sobre aquele mundo onde a aids e a internet ainda estavam dando seus primeiros passos, quanto das minhas futuras obsessões.

O que começa aqui continua sendo tecido e desvendado até hoje. De certa forma, *Quando o Sangue Sobe à Cabeça* é um filme que nunca foi visto. Ou um livro que nunca deixou de querer ser lido.

Anna Muylaert
19 de outubro de 2018

para
Celina
e
Celina

1
o segredo de célia

A revolução sexual, o advento da pílula e as conquistas feministas dos anos 1960 acabaram proporcionando às jovens solteiras das duas décadas seguintes um tipo de comportamento sexual tão "liberado", que, nos anos 1950, certamente seria chamado de "libertino".
— Ridículos!
Iracema mal podia crer que estava ouvindo essas palavras em um seminário de psicologia em plena Universidade de São Paulo.
Apesar de ter pago um bom dinheiro para participar daquele evento, levantou-se resoluta e foi embora.
Quando pôs a chave na porta do carro, ouviu uma voz masculina, que a deteve.
— Cema?
Quando olhou para o lado, Iracema gelou. José

Carlos Aguiar, um ex-colega do curso de psicologia, um moreno forte e sorridente com quem ela havia feito sexo descompromissadamente duas ou três vezes durante a faculdade, estava ali à sua frente, esquálido, rouco e opaco. Tinha feridas abertas no rosto e uma calvície lateral característica. Não havia como negar. José Carlos estava morrendo de aids.

— Se lembra de mim?
— Claro, claro! Mas...
— O Zeca!
— Eu sei... Zeca, não é mesmo? Você!
— Então! Você é a Iracema... Cema? Ceminha?
— Isso!

Iracema não queria continuar a conversa. Disse que estava com pressa, entrou no carro, enfiou a chave no contato e saiu cantando pneus.

— Não acredito! Não acredito!

Na raia olímpica, Iracema quase atropelou dois ciclistas. Na saída da Cidade Universitária, por pouco não bateu em uma Kombi. No cruzamento da Rebouças com a Eusébio Matoso, furou o sinal. Subitamente teve vontade de fumar um cigarro, coisa que não fazia havia dois anos, oito meses e uns dias. Parou num boteco da rua Teodoro Sampaio e comprou logo dois maços, pois sabia que voltaria ao vício.

Que diferença vai fazer um câncer a mais ou a menos?.

Embora a personalidade de Iracema fosse um pouco difícil de definir — pois oscilava entre a extrema racionalidade e a mais faminta impulsividade —, havia nela uma característica muito própria, que só

os amigos mais íntimos conheciam: quando ficava nervosa, era acometida por áreas vermelhas na região do peito; quando ficava nervosíssima, essa vermelhidão avançava para a zona do pescoço. Por isso, quando entrou em casa, seu marido foi logo perguntando:
— Nossa, o que aconteceu?
— Otávio, fica calmo, fica calmo!
— Eu estou calmo. Quem está nervosa é você!
— Otávio, sabe o Zeca?
— Qual Zeca?
— O Zeca, da faculdade.
— Aquele musculoso que te comeu?
— Exatamente, Otávio.
— Qual é o problema?
— Otávio, eu estou com aids!
Otávio, que também era psicólogo, tentou — como manda a profissão — manter a calma. Iracema, que a essa altura já tinha mandado o diploma de psicologia às favas, tentou explicar o ocorrido aos trancos e barrancos.
— Otávio, não tem como negar! Só faltou o atestado pendurado no pescoço!
Iracema rodava pela sala, fumando um cigarro atrás do outro.
— Espera aí, Iracema! Não tem como explicar o quê?
— Otávio! Ele está cheio de feridas! Ele está com os cabelinhos ralos, Otávio!
— Ele quem, Iracema? O ZECA?
Assim que Otávio entendeu o porquê da agonia da mulher, calou-se. Iracema, ao perceber que o marido

também estava em pânico, passou a tentar amenizar a situação.
— Otávio, tudo bem, tudo bem. Só espero que você não tenha pegado de mim — dizia Iracema, como se a compaixão dela por ele naquela hora pudesse despertar uma súbita compaixão de Jesus Cristo por ela, que a salvasse da doença.
— Iracema, você continuou se encontrando com ele depois da faculdade?
— É claro que não, Otávio!

Em silêncio, e com a cabeça girando na velocidade da luz, o marido calculou que Iracema devia ter feito sexo com o Zeca havia pelo menos dez anos e que talvez ele só tivesse se infectado depois disso. Como Iracema estava à beira de um colapso — e ele mesmo começava a entrar em um, o que não ficava bem para um psicólogo, nem mesmo diante da morte, catou a mulher e foi direto para o laboratório Fleury.
— Teste anti-HIV, por favor. Particular mesmo, sem convênio. Passa no crédito?

Nos dois dias em que esperou pela chegada do exame, Iracema escreveu um romance que contava a história de Célia, uma dessas mulheres antigas, que, apesar de fiel, pegava sífilis do marido e morria, sem nunca ter conhecido o orgasmo. Imaginou e descreveu como era o casamento de Célia, a casa de Célia, o marido de Célia, os filhos de Célia, as amantes do marido de Célia e, ao final das duzentas páginas que redigiu como uma louca durante dois dias e duas noites, Iracema percebeu que estava contando sua própria história.

— Dona Mercedez, eu vou morrer. E, antes de morrer, eu preciso ter um orgasmo.
— Mas, Iracema, você me dizia que tinha orgasmos eventuais.
— Eu mentia, Mercedez.
— Mas para mim?
— Dona Mercedez, eu pago a senhora para ouvir o que eu quiser que a senhora ouça. Mulher fria é coisa feia. Mas agora eu vou morrer mesmo, e a senhora é minha última esperança!
— Como assim, Iracema?
— A senhora TEM de descobrir o trauma que me fez ficar frígida!
— Espera um pouco, Iracema. Você também é terapeuta e sabe que as coisas não são assim. Fique calma.
— FIQUE CALMA?
— Bem, Iracema, a sessão acabou.
— Eu quero que a senhora vá para a puta que a pariu!

E assim Iracema resolveu largar a análise que fazia havia doze anos, logo após revelar que nunca tinha conseguido obter um único orgasmo.

— Tudo bem, Iracema, com homem é difícil, eu sei. Principalmente com o marido, mas você não consegue nem, digamos assim, se masturbando? — perguntou Hortaliça, a sua amiga seguidora do movimento Rajneesh, entendida em massagens e técnicas tântricas.
— Quer saber, Hortaliça? Nem assim, me masturbando.
— Mas como assim? Você se masturba?
— Ã-hã.
— E quando você para?

— Quando canso.

— Mas como assim, Iracema? Então você se masturba pra quê?

— Pra ficar com tesão, ora!

Inexplicável. Iracema era uma psicóloga com consultório montado, vinte e três clientes fixos, fora os eventuais. Casamento constituído, belo corpo, casa decorada, possuidora de um aparelho de som, um videocassete, uma filmadora Canon, uma câmera Nikon, assinante da *Folha*, da *Veja* e da TVA, enfim, com a vida arrumada. E quem diria que ela, um poço de virtude, nunca tinha tido um orgasmo? Certamente o marido não diria.

— Otávio, sinto te informar.

— O quê? Você já foi buscar o exame?

— Não, muito pior.

— O quê, fala?

— Eu sou fria.

Otávio, que achava que a mulher era um verdadeiro churrasco — e esse era um dos maiores motivos pelos quais ele quis se casar com ela —, perguntou:

— Fria? Desde quando?

— Como desde quando? Mulher fria é mulher fria. Sou fria desde sempre.

Iracema tinha trepado exatamente com trinta e dois homens. Desde o colegial vinha experimentando arquitetos, jornalistas, músicos, dentistas. De quase todos, ela guardou boas lembranças, mas orgasmo não teve com nenhum.

— Então você fingia?

— É óbvio que fingia, besta! Só você que não notava.

— Até naquele dia?

— Não se fala mais nisso!

Otávio não só não queria aceitar que a mulher era frígida como não podia acreditar que ele tivesse sido enganado por todo esse tempo e até naquele dia no motel Astúrias, quando ela berrou como uma vaca que sente o cheiro de sangue no matadouro.

— Vê como as formigas são idiotas? Quando ouvem o barulho da chuva, correm como baratas tontas. Somos iguais. Pensamos em tudo na vida, menos que vamos morrer!

Na iminência da morte e da frigidez, o casal de psicólogos achou melhor dormir em quartos separados.

— Sonhe com os anjos.

O casal trocou beijos na testa. Otávio foi para o quarto de casal. Iracema foi para o de hóspedes. Sentada no espaldar da sua velha cama de solteira, Iracema contabilizou toda a sua vida sexual, refletiu sobre ela, lembrou-se de muitas coisas. Fumando um Hollywood atrás do outro, ela riu e chorou pela última vez. No branco descascado das paredes, assistiu àquele filminho da vida inteira, a que os moribundos assistem em câmera rápida.

"Um terreno em Itaipava. Vinte e três clientes. Uma casa no Alto da Lapa. Um romance escrito em dois dias. Um terreno em Itaipava. Vinte e três clientes. Uma casa no Alto da Lapa. Dois artigos na revista *Psicologia Atual*"...

Otávio, ao contrário, estava tão cansado por todas aquelas revelações, que caiu na cama e dormiu imediatamente. No dia seguinte, levantou-se antes de o despertador tocar e foi direto para o Laboratório Fleury. Abriu primeiro o envelope de Iracema e quase mijou nas próprias calças quando leu o resultado.

"Negativo."

Ninguém ali tinha aids, ninguém ali morreria tão cedo. E aquela história do orgasmo?

— Era tudo mentira, meu bem.

— Eu sabia! EU SABIA!

Otávio preferiu acreditar na mulher. Iracema jogou fora o recém-escrito romance *O segredo de Célia* e preferiu continuar fingindo. O Zeca, que Deus o tenha, foi o único a ver a luz da verdade.

17 de janeiro de 1993

2
o pulo do gato

O táxi parou em frente ao Edifício Barão de Itararé, na rua Dom Casmurro, na praia do Flamengo. Seu João correu para ajudar com a bagagem, e logo Maria Amélia já estava dentro do elevador. Apertou o número 12 e subiu, observando os novos escritos encravados na fórmica do velho ascensor carioca.

"Sergio é escroto."
"Maria é puta."
"Carla é sapatão."

Assim que chegou ao destino, Maria Amélia abriu a porta e puxou as malas com dificuldade até o diminuto hall. Em seguida, acendeu a luz e começou a procurar suas chaves, perdidas no turbilhão de sua bolsa de couro preto. Como demorou a encontrá-las, tocou a campainha.

Por um momento, Maria Amélia teve a impressão de que ela própria, sentada havia vinte anos na mesma poltrona de couro bege, viria abrir a porta. Esperou alguns instantes, imóvel. A luz automática do hall apagou-se e a assustou. A velha senhora soltou um pequeno suspiro, mas logo achou a chave e a enfiou na fechadura de seu velho e bom apartamento. Ao entrar em casa, sentiu seu corpo encher-se de uma inevitável sensação de conforto e bem-estar. Porém, antes que pudesse arrastar sua bagagem para dentro da sala, Maria Amélia ouviu um ruído seco, que fez seu coração disparar. Rapidamente meteu a mão no interruptor de luz da sala, pensando no pior. Mas, assim que o ambiente ficou claro, ela pôde ver os últimos passos de um gato cruzando a sua ampla sala de visitas.

— Xô! Xô!

Maria Amélia largou a porta aberta e as malas no hall, pondo-se a correr atrás do bichano, que se escafedeu ao chegar na área de serviço.

— Onde já se viu? Que coisa mais nojenta!

O gato havia invadido o apartamento de Maria Amélia, dois ou até dez dias antes, sabe-se lá por qual buraco. E havia feito uma festa horrorosa. Além de virar a lata do lixo no chão, fez xixi no carpete e empesteou o sofá de pelos e fedores variados.

— Uma tragédia! —dizia Maria Amélia ao telefone, para sua filha Amelinha, residente em São Paulo. A filha não deu lá muita importância para a história do gato.

— E aí, mamãe? Fez boa viagem?

Maria Amélia tinha ido a São Paulo, como fazia todos os anos, passar as festas com Amelinha. Comprou presentes para a filha, o genro e a neta. Pegou a ponte aérea no domingo do dia 21 para pagar meia tarifa. Chegou saudosa e muito excitada, mas, por mais que tentasse se manter acordada, a exaustão a nocauteou às oito horas da noite.

*

— Agora não dá mais. A mamãe tá uma velhinha!
Lúcia, a neta de Amélia e filha de Amelinha, já não aguentava mais ouvir aquilo.
— Oh, mãe! Faz dez anos que toda vez que a vovó vem pra cá, você fala que agora não dá mais, que "a mamãe tá uma velhinha"!
— Mas agora ela tá mesmo!
— Ainda vai viver mais dez anos, no mínimo.

*

Maria Amélia já estava com oitenta e seis anos, e, embora sua filha já visse nela uma velhinha havia mais de trinta, só agora começava a dar sinais de um cansaço irreversível. Como na vez em que parecia paralisada, com o olhar vidrado, mirando Amélia.
— O que é que tá olhando, mãe?
— Nada, Amelinha. Eu nunca venho a São Paulo, quero aproveitar. Não estou certa?
E enquanto Amelinha assistia à novela, Maria Amélia ficava olhando para a filha em estado de adoração.

Lembrava-se do dia que a filha nasceu. O marido era prefeito de Alegre, no Espírito Santo. A casa era grande, com um jardim cheio de mangueiras carregadas. A filha nasceu de manhã. A mãe não havia sentido nenhuma dor. A bebê era linda. Amelinha ficava em cima da cama, e Maria Amélia cantava para ela o tempo todo. Ela olhava com seus olhinhos azuis para a mãe e sorria. A mãe não podia parar de cantar, senão a bebê chorava.

— Mas também não precisa ficar me olhando desse jeito, né, mãe?

— Sabe o que é, minha filha? É que você é tudo o que me resta.

E dona Memélia, como era conhecida, começou a chorar.

*

— É a depressão da arteriosclerose. Você dá pra ela esse remedinho que eu estou te receitando aqui e isso vai melhorar. Pode ter certeza. Vai melhorar e logo.

Amelinha saiu do consultório do doutor Sardinha confiante, mas, quando chegou em casa com a receita milagrosa, veio a decepção.

— AH, ESSE REMÉDIO? Eu já tomei esse remédio! O doutor Newton já me deu. Olha, isso é uma porcaria... Só dá é um zunido na cabeça...

E Maria Amélia não quis tomar o remédio de jeito nenhum. Amelinha começou a ficar muito preocupada com a mãe, que sempre fora um poço de resistência.

Desde que ficara viúva, nunca esmorecera, sempre dera duro, nunca se queixara de nada. Fazia seus passeios, ia aos seus concertos musicais, pegava seu cineminha. Todos os domingos ela ia ao Iate Clube. E agora, será que ela realmente estava se tornando uma velhinha?

*

— Amelinha, não tem mais jeito. Vamos ter que trazer sua mãe pra morar conosco.
— Mas já?
—Já.
Antônio, genro de Memélia, resolveu o impasse. Ele estava certo. Apesar de Amelinha ver na mãe uma velhinha, ainda não conseguia aceitar o fato de que ela era realmente uma, como todas as velhinhas do mundo. Mas morar com ela, talvez, ainda fosse cedo.
— Como cedo, Amelinha? Ela já está com oitenta e seis anos! Qualquer hora pode ter um troço!
Um troço? Que raios Antônio quer dizer com isso?
— Tudo bem, Tó, eu entendo o que você quer dizer. Por outro lado, velho é muito acostumado com as coisas. Você vai tirar a mamãe do Rio de Janeiro, que é onde ela sempre viveu, onde ela faz a pé a vidinha dela, e vai trazer ela pra morar aqui em São Paulo, onde ela não conhece nada?
— Amelinha, está decidido.
No meio da conversa, Lúcia chega em casa, perguntando o que é que estava decidido. Amelinha e Antônio contaram a ela da decisão.

— O que você acha disso, filha?
— Eu acho que o papai está certo, mãe. Ela está ficando muito triste. Chega aqui e não para de chorar. Chora por tudo.
— Por que não no ano que vem?
— Amelinha, você sempre disse: "Eu sei que um dia mamãe vai ter que vir morar com a gente". A hora chegou, Amelinha! Sua mãe tem de vir morar conosco!
— E você acha que ela vai aceitar?
— Se eu acho? Eu tenho absoluta certeza.

Amelinha continuava hesitante, por mais que o marido e a filha falassem e argumentassem e por mais certos que estivessem. Imaginava a mãe ali, o dia inteiro indo atrás dela, como se ela fosse a Virgem Maria. Ela assistindo novela, a mãe assistindo a cara dela. Seria uma prisão aquela presença dentro de casa. Seria um peso para toda a família. Eles falavam porque não eram eles que teriam de ouvir a conversa da velha todo dia, levá-la ao médico, levá-la ao dentista, providenciar a comida dela no almoço, no lanche e no jantar. "Não posso com nada duro", repetiria dona Memélia a Amelinha, ao longo de todas essas refeições.

Amelinha sabia que teria de levar a mãe para passear de carro e, pior, a velha insistiria em contar aquelas mesmas histórias de sempre: o dia que Amelinha nasceu, a prefeitura de Alegre, o jantar para o governador da Guanabara, a inclusão na lista das dez mais... Histórias que ela já sabia de cor e salteado.

— Tudo bem. Vamos falar com ela.

— Pai, acho melhor você falar, pra ela ter certeza de que o convite é pra valer.

— Tá bom, eu falo amanhã.

— Não é bom pensarmos melhor?

Amelinha continuava hesitante. Mas tanto o marido quanto a filha não lhe davam mais ouvidos.

— Por que não falamos na ceia de Natal?

— Ah, não! Vai dar muita choradeira.

A ideia da comunicação na ceia foi abandonada, mas seria levada a cabo no almoço do dia seguinte. E a reação de dona Memélia foi como previsto. Antônio fez o convite, e dona Maria Amélia, chorando de emoção, aceitou na mesma hora.

— Ah, mas eu tenho que aceitar! Sabe, meu filho, já era hora mesmo de eu vir morar com vocês aqui em São Paulo. Eu já não tenho forças para levar a vida que eu levava. Se eu vou no Sendas um minutinho, buscar, que seja, meia dúzia de ovos, eu já chego em casa morta de cansaço. Eo pior de tudo é não ter companhia. Você veja! Uma hora dessa, se eu estivesse no Rio, o que eu estaria fazendo? Vendo televisão, sem ter com quem conversar. Minha vida tá uma chatice. Todo dia é aquela rotina: da cama pra televisão, da televisão pra cama. Muito obrigado, meu filho, pelo convite. Muito obrigado!

Então começaram os problemas práticos.

— Mas quem vai pagar minhas contas? Quem vai pagar o condomínio? Quem vai regar as samambaias? Quem vai pegar minha aposentadoria? Quem vai limpar meu apartamento?

Antônio disse que trataria de tudo, que ela não precisaria se preocupar. Apesar de Maria Amélia confiar mais nele do que no presidente da República, continuava preocupada.

— E o doutor Newton?

*

Na noite de Natal, depois de abertos os presentes, a avó chamou Lúcia num canto e disse.

— Minha filha, eu tenho um problema.

— Fala, vovó.

— Tem um lado prático que eu preciso resolver antes de vir pra São Paulo.

— Mas o papai já não falou? Ele não vai resolver tudo?

— Não é isso, minha filha, é que eu tomo remédios pra dormir e sua mãe não sabe.

— E qual é o problema, vó?

— O problema é que sua mãe me proibiu de tomar remédio pra dormir, não tá lembrada? Me tirou as caixas faz dois anos. Só que quando eu voltei pro Rio, eu fui ao doutor Newton e voltei a tomar os remédios.

— Tudo bem, vó.

— Tudo bem, não. Ela não sabe.

— Fala com ela, vó.

— Você acha que ela vai me entender?

— Fala com ela.

— Minha filha, se ela não quiser que eu tome os remédios, eu não vou poder vir pra São Paulo, não, porque, se eu fico sem dormir, eu fico louca e, no dia

seguinte, eu fico morta!
— Fala com ela, vó.
Maria Amélia foi obrigada a seguir os conselhos da neta.
— NÃO ACREDITO! Você continuou tomando aquela bomba?
Amelinha ficou chocada com a revelação.
— Então é por isso que você tá nessa depressão! É por isso que você chora à toa! É por isso que você morre de sono!
A filha tentou demover Memélia da ideia dos remédios de qualquer jeito, mas ela se manteve impassível.
— Podia fazer massagem, mãe. Acupuntura, chás...
— Ih, minha filha! Não tem jeito. Só esses remédios é que me fazem dormir. Mas foi o doutor Newton que me deu. São remédios inofensivos.
— Inofensivos, mãe? É tarja preta?
— É.
— Inofensivos... MÃE, VOCÊ TÁ VICIADA!
Apesar dos insultos da filha, Maria Amélia manteve-se irredutível.
— Se estou viciada, não sei. Mas se eu estiver viciada, muito que bem. Prefiro viver menos cinco anos dormindo à noite do que viver dez anos naquele inferno. Olha, Amelinha, talvez você não saiba, mas velho tem dificuldade pra dormir. Não sou só eu que tomo, não. O Jaime também toma. O Nestor também tomava. É normal!
— Se você diz...
— Estamos combinadas?

Mãe e filha acertaram a mudança para março, depois das férias de Amelinha. Seria também um tempo de preparação para as duas, que mudariam de vida a partir da vinda de Maria Amélia. Durante as férias, Amelinha viajou com a filha para o litoral. Maria Amélia voltou para o Rio e pôs-se a fazer arrumações.

*

— Pronto!
Na caixa do Omo estavam castiçais pequenos, um saleiro, duas bandejas e uma jarrinha. Na do Pinho Sol, quatro castiçais grandes, um cálice e um prato de bolo. Nas três maiores caixas estava o faqueiro. O mais importante era isso. As pratas já estavam embaladas.

— Seu João, tira aquele quadro da parede, por favor?
— Mas, dona Memélia, a senhora afinal vai desmontar o apartamento ou não vai?
— Seu João, eu já expliquei: isso fica a cargo da Amelinha. Agora, as pratas eu vou levar.
— E os quadros, a senhora vai levar também?
— Não, homem! Eu só vou tirar das paredes. O senhor me faz esse favor?
— Faço sim, senhora, mas é só uma curiosidade. Vai tirar por quê?
— Não tá vendo? É o retrato do meu pai e o da minha mãe. Como eu vou deixar eles sozinhos tomando poeira? Vou embrulhar eles em jornal.
— A senhora quer que eu ajude?

— Não, muito obrigado, seu João, eu só quero que o senhor tire eles das paredes pra mim porque eu não tenho mais forças. Vê como eles são pesados?

O servente fez o que ela pedia e saiu. Maria Amélia foi até a cozinha passar um café, quando se deparou novamente com o gato da véspera.

— Maldito!

Agora ela o via bem. Era um gato gordo, de pelo acinzentado e de aspecto sujo. Ele olhava para ela com olhos desafiadores e parecia não ter intenção de fugir. Maria Amélia não teve dúvida: pegou o vaso de cima da mesa e o arremessou no bicho. Ele não se deixou atingir, fugindo num só pulo na direção da agressora, que, ao vê-lo se aproximar em alta velocidade, quase teve uma síncope de susto. O gato seguiu, aos pulos, para o fundo do corredor, entrando no quarto da velha. Desesperada e com o coração batendo muito rápido, ela foi atrás dele com um rolo de macarrão na mão e uma disposição sanguinária. Assim que a viu, o bichano pulou da janela do quarto para a varanda da área de serviço e novamente desapareceu. Maria Amélia sentou-se na cama e, por algum tempo, ficou ouvindo sua própria respiração ofegante.

Nos dias que se seguiram, a anciã embrulhou em jornal quadros, porta-retratos, cinzeiros e até os sofás da sala. Ao final de uma semana, não tinha mais praticamente onde se sentar. Como havia dispensado a faxineira, o velho imóvel começou a dar evidentes sinais de sujeira. Olhando o apartamento naquele estado, Maria Amélia começou a chorar. Sabia que estava deixando o Rio de Janeiro de uma vez por todas. Por mais que Amelinha dissesse que o apartamento continuaria ali e que ela poderia visitá-lo quando quisesse, Maria Amélia sabia que não teria forças para voltar, nem interesse, uma vez que tudo o que lhe restara era Amelinha. E a família de Amelinha, é claro. Por outro lado, sentiria falta do Rio de Janeiro. Sentiria falta do Iate Clube, do Largo do Machado e até do seu João.

— Chamou, dona Memélia?

— Chamei, sim, seu João. Será que o senhor não poderia me ajudar aqui um bocadinho?

— Sim, dona Memélia.

— Por favor, vê o que tem ali em cima do armário?

— Tem um monte de louça, dona Memélia.

— Será que o senhor não podia tirar isso daí pra mim? Faz favor, seu João.

E então Maria Amélia reviu a louça inglesa que havia guardado por cinquenta e dois anos, naquela parte inalcançável que qualquer armário tem. Era a louça "de visitas" que ela e o marido tinham ganhado de casamento. Depois da morte do marido, ela achou melhor guardar a louça, para evitar que se quebrasse uma das partes mais importantes de sua memória, pois foi com aquela louça que o casal recebera, um dia, a visita do governador da Guanabara, em um jantar que lhe rendera o título, ainda que provisório, de uma das dez mulheres mais elegantes do Rio de Janeiro. Maria Amélia nunca esqueceria do vestido que usara naquela noite. Um vestido de seda branca, longo, com corte de alta costura, que, na verdade, tinha feito com suas próprias mãos. Nunca esqueceria de seus próprios dentes brancos e perfeitos, de sua cintura fina e de seu francês impecável. Jamais esqueceria tampouco da piscada que o governador lhe dera no meio da refeição em que comeram camarões à *finesherbes* e arroz com passas.

— O governador era tão bonito... Era um galã. Depois, morreu bêbado e pobre, com a cara no asfalto em plena Nossa Senhora de Copacabana! Nem vinte pessoas foram ao seu enterro.

Ah, como era triste o contraste entre suas memórias e a realidade! Dentro de sua cabeça, Maria Amélia tinha acesso a todos os momentos, como se visse um filme em Technicolor. A vida real, no entanto, era rascunhada em preto e branco.

— Deus não fez as coisas certas. A gente dá duro a vida inteira pra quê? A gente espera uma recompensa no final, mas não! Quando a gente se aposenta, começa o inferno, o cansaço, a solidão! Eu não tenho forças nem pra me divertir!

Maria Amélia voltou a chorar e, tentando abrandar a própria dor, repetia sem parar para si mesma uma velha frase de sua mãe:

— Mequita, Mequita... Quando passar o dia, toda a tristeza se esvazia.

Mas, apesar de seu esforço de autocontrole e autoconsolo, Maria Amélia não conseguia mais parar de chorar. Chorava convulsivamente e mudava de lugar, da sala para a cozinha, da cozinha para o quarto, sempre esperando que a mudança de ambiente pudesse reanimar suas forças. Mas, a cada cômodo que entrava, a cada porta que cruzava, sua tristeza parecia aumentar até o ponto em que pensou em se jogar da janela do décimo segundo andar. Ao se deparar com tal pensamento, porém, Maria Amélia achou melhor tomar uma atitude. Abriu o armário e tomou uma das suas pílulas para dormir. Como não sentiu nenhum efeito, engoliu mais duas.

— Mamãe disse que já empacotou as pratas e que vai me trazer tudo de presente! Mas eu já vi tudo! O que ela quer é perpetuar o apartamento dela na minha casa. Só que ela está muito enganada. Eu não vou deixar! Eu não quero tudo, não quero a prataria toda. Só quero a garrafinha que era da minha avó Constanza!

E quanto mais Amelinha negava a vinda de sua mãe, mais Maria Amélia arrumava e tomava providências.

— Eu sei que vai ser difícil, para mim, largar o Rio de Janeiro, mas, afinal, o que é que eu tenho aqui, me diz, seu João?

— Esquece, dona Memélia, esquece. Levanta as mãos pro céu e agarra essa chance! A senhora não tem mais idade pra ficar morando sozinha! E se a senhora tem um troço?

Como assim, um "troço"? Que raios seu João estava querendo dizer com isso? Maria Amélia ainda pretendia viver muitos anos. Só estava mudando porque não aguentava mais a solidão.

— De que adianta ficar aqui sozinha com as pratas e os móveis de jacarandá? Eles falam comigo? Eles conversam comigo?

— A senhora tem razão, sim, senhora.

— Sabe, seu João, o senhor vê. Eu dou um pulinho ali no Sendas e quando volto já tô podre. Desse jeito não dá; minha vida tá muito chata. Todo dia é a mesma coisa. Uma rotiiina... É cama, televisão; televisão, cama. Às vezes, eu fico três dias sem falar, minha voz fica até rouca! Agora, eu devo ou não devo ir?

Argumentava ela mais uma vez consigo e com qualquer um que passasse em sua frente.

— Fica calma, dona Memélia. Fica calma.

Quando seu João saiu, Maria Amélia foi até a janela olhar as luzes do Aterro do Flamengo. Ligou a televisão, mas como estava no intervalo das novelas, resolveu regar as samambaias. Levantou-se para buscar água. Caminhou e concluiu que as plantas do apartamento fatalmente morreriam quando ela se fosse, por isso desistiu de regá-las. Aproveitou que já estava no meio do caminho e resolveu ir até a cozinha pegar um biscoito. Quando acendeu a luz, pôde ver da porta o corpo do gato, que dormia refestelado no parapeito da varanda da área de serviço. O corpo do gato inflava e desinflava, entregue a sabe-se lá que sonhos. Ao ver o bicho mais uma vez dentro de seus domínios, Maria Amélia não teve dúvidas. Pegou sua bengala e, pé ante pé, aproximou-se do animal. Com uma única e firme tacada, a velha empurrou o gato para o vazio de sua derradeira queda, como se ele fosse uma bola sete. Sem olhar para trás, a velha foi tomada por um súbito calor. Esse calor do corpo preencheu-lhe a alma de uma agradável sensação de poder e de vitalidade, como se ela tivesse de novo, e sempre, os áureos tempos ao alcance das mãos. Ouviu o barulho do gato se espatifando no telhado da fábrica de cerveja. E sob o impulso desse som grave, ocorreu-lhe a grande ideia.

— Vou fazer uma jantar de despedida!

Maria Amélia aproveitou que a louça do jantar do governador estava à mão depois de cinquenta e dois anos de clausura e resolveu convidar todas as amigas e cunhadas ainda vivas para um jantar de despedida. Teve, naturalmente, que chamar o seu João para ajudá-la a desembrulhar todos os móveis, quadros e cinzeiros e a tirar das caixas a prataria.

— Naquela caixa ali, a do Omo, estão os castiçais pequenos, o saleiro, o cinzeirinho e os porta-retratos, não é isso?

Maria Amélia chamou a antiga faxineira, Carmem, e as duas passaram a semana arrumando o apartamento. Carmem limpou os móveis, as paredes e as janelas de vidro. Tirou o pó dos tapetes e dos armários, lavou os panos de prato, areou as panelas, lustrou as pratas e encerou o chão. Na cozinha, jogou muita água no chão e nos azulejos.

— *Nossa! Que imundície que tá isso aqui!* — dizia a criada para si mesma, enquanto Maria Amélia, recostada no sofá de jacarandá, lia cartas, saboreava antigas revistas *Manchete*, via álbuns de fotografia e lembrava-se das coisas mais bonitas desse mundo. No fim da semana, ao contemplar seu apartamento tinindo novamente, a velha patroa deu seu toque de mestra: arrumou toda a prataria dentro do oratório iluminado, de maneira que ficasse vistosa e brilhante, quase como um presépio.

Dois dias antes da festa, Maria Amélia preparou com as próprias mãos o cardápio: um suave coquetel de camarão de entrada, seguido de seu clássico frango com farofa, arroz e batata frita. Para a sobremesa, doce de banana em calda, outra de suas especialidades.

— Chamou, dona Memélia?
— Sim, seu João. Era pro senhor ver o apartamento. Não tá uma beleza?
— Uma beleza, dona Memélia.
— Olha as pratas. Essa bandeja era da minha avó.
— Deve custar uma fortuna!
— Uma fortuna!
— E esse porta-retrato trabalhado, o que o senhor acha?
— Uma beleza, dona Memélia, uma beleza!
— Agora, olha bem pra minha mãe. Era ou não era linda?
— Era muito bonita, sim, senhora.
— E meu pai? Não era um homem elegante?
— Elegante que só vendo!
— Eles não ficam bem em cima da cômoda de jacarandá?
— Uma beleza!

Quando as convidadas chegaram, encontraram uma Maria Amélia tão remoçada que até pensaram que ela tinha arranjado um gajo.

— Nossa, como essa viagem de Natal te fez bem!
— Vocês não estão sabendo da novidade? — perguntou ela. Mas sem deixar elas responderem, já foi contando logo da sua mudança a São Paulo.

— Mas que maravilha!
— Pois é... De que adianta eu ficar aqui olhando as pratas e os móveis de jacarandá se eu não tenho com quem conversar, não é mesmo?
— Que ótimo!
Depois do jantar, as oito senhoras conversaram por mais de hora e meia. Maria Adélia rememorou antigos carnavais:
— Eu já era Mangueira quando o Carnaval ainda era na Presidente Vargas!
Carmitinha lembrou-se dos domingos de Grande Prêmio no Jockey:
— Naquela época era bem diferente. A gente ia de chapéu, maquiagem e meia de seda, não era essa falsa liberdade de hoje, não!
Julieta ressuscitou antigos escândalos:
— Até hoje eu não tenho certeza de que ela fosse realmente adúltera.
Maria Amélia acabou trazendo à baila o jantar do governador:
— Lembra-se, Carmita? Uma das dez mais!
Apesar dos diferentes rumos da memória das velhinhas, todas elogiaram em uníssono a beleza tanto do apartamento de Maria Amélia quanto da própria vista do Aterro do Flamengo. Quando elas saíram, pontualmente às onze e quinze da noite, a velha senhora tornou a chamar seu João, pelo interfone.
— Esse resto aqui é pro senhor.
O porteiro agradeceu a comida e saiu. Maria Amélia sentiu-se feliz. Agora estava tudo certo. Já havia se

despedido das amigas e, de certa forma, do Rio de Janeiro. Já havia relembrado às amigas daquele jantar e de sua inclusão da lista das dez mais, talvez o auge de sua vida social. As caixas das pratas já estavam ali e, no dia seguinte, era só retornar tudo para o lugar. Lavou toda a louça. Caminhou pelo apartamento, como se fosse embora no dia seguinte. Olhou pela janela e viu as luzes do Aterro do Flamengo. Depois, apagou todos os abajures, trancou todas as portas e foi para o seu quarto. Na sua velha penteadeira de jacarandá, passou um creme hidratante no rosto. Apesar do sucesso do jantar, contemplar-se no espelho fez com que ela novamente sentisse vontade de chorar. E, quando caiu a primeira lágrima, Maria Amélia percebeu que, se não tomasse uma providência logo, poderia inundar a Baía de Guanabara. Resolveu tomar não uma, nem duas, mas vinte e cinco pílulas para dormir. Maria Amélia nunca chegou a ter um troço. Foi diretamente para o amanhã.

26 de fevereiro de 1994

3
**a origem dos bebês
segundo Kiki Cavalcanti**

Depois de abiscoitar seu diplomado curso normal em Americana, estado de São Paulo, Cida resolveu tentar um emprego como professora em alguma escola da capital. Teve o apoio da família e, num domingo à noite, chegou à rodoviária do Tietê. Tomou o metrô, o ônibus, andou alguns quarteirões a pé e, por fim, hospedou-se numa pensão para moças recomendada por uma colega.

"Esta é uma chamada a cobrar. Por favor, depois do sinal, diga o seu nome e a cidade de onde está falando."

— Cida, de São Paulo. Alô? Mãe? Tudo bem. Já estou aqui na pensão. Muito bom. Cheguei bem. Obrigado. Amanhã eu vou lá. Pode deixar. Obrigado. E o pai? Manda um beijo pra ele. Tá bom. Reza aquela novena por mim. Te ligo no fim da semana. Pode deixar. Um beijo, tchau.

Na semana em que chegou a São Paulo, Cida deixou o currículo em três ou quatro escolas. Motivada pela firme decisão de morar na capital, também visitou igrejas e capelas, onde, no silêncio do Senhor, rezou seu pai-nosso e sua ave-maria, com fervor de principiante. Como quem procura, acha, e quem caminha, alcança, na semana seguinte Cida já tinha conseguido um emprego na Escolinha Pirilimpimpim.

"Esta é uma chamada a cobrar. Por favor, depois do sinal, diga o seu nome e a cidade de onde está falando."

— Cida, de São Paulo. Alô, mãe? A senhora não vai acreditar! Consegui! Consegui!

Cida estava certa de ter arranjado um jeito de se estabelecer em São Paulo para o resto da vida. Mas, já no seu primeiro mês de trabalho, um incidente mudou o rumo de suas expectativas. Começou na aula de ciências. Cida estava palestrando de acordo com as apostilas preparadas pelo grupo de pedagogas da escola. Naquele dia, o assunto era o nascimento dos pintinhos. Conforme as instruções, Cida mostrou figuras ilustrativas, falou, falou e falou sobre o galo, a galinha, os ovinhos, a clara, a gema e até sobre a cloaca da galinha. Os alunos estavam prestando muita atenção e acompanhando em silêncio, até que um garotinho gorducho chamado Ernani, confundido por tantas informações, fez a pergunta certeira:

— Tia, agora explica como nascem os bebês. A mãe da gente engole um ovo?

Cida, naturalmente, já tinha sua resposta pronta, mas, antes que ela começasse a fazer sua explanação,

Maria Cristina, a Kiki — uma aluna morena, miúda e brava — soltou um petardo que abalou as quinze crianças da classe.

— O neném vem depois que o papai tenta matar a mamãe.

Ora, que absurdo! De onde essa menina tirou isso?, pensou a professora.

E enquanto Cida tentava imaginar de que delírio mórbido teria vindo tal afirmação de Kiki, os outros aluninhos já tinham embarcado completa e entusiasticamente na versão da menina.

— MATAR A MAMÃE!?

— Mas por que o papai ia querer matar a mamãe?

— Meu pai não vai matar minha mãe!

Crenças, descrenças e dúvidas borbulhavam naquelas cabecinhas curiosas.

— PAREM COM ISSO!

Cida tentava acalmar o caos, berrando e batendo palmas, mas as crianças tinham voltado suas atenções para Kiki, de maneira definitiva.

— Conta tudo!

Sentada no centro de um círculo de olhos curiosos e apavorados, a menina morena e séria explicava detalhadamente o que sabia, com a convicção de uma velha sábia.

— Os pais não contam pra gente, com medo que a gente tente matar nossos irmãozinhos, mas eu sei. Ninguém me contou, eu vi.

Ao perceber que Kiki estava conquistando a classe com seu testemunho, Ernani, o autor da pergunta, não quis ficar por baixo e concordou com tudo o que ela dizia, como se já conhecesse aquela versão de outros carnavais.

— A Kiki tá certa. Eu também já vi.

— Mas se você já viu, por que perguntou? — indagou Serginho, com ares de sabe-tudo.

— Perguntei para ver se a professora também sabia.

Aproveitando que falavam dela, Cida novamente tentou intervir, mas, ao receber uma vaia da criançada, percebeu que a situação tinha saído completamente de seu controle.

— EI, GENTE! PRESTA ATENÇÃO NA TITIA!

Ninguém olhou para trás. As crianças pareciam saber que a tia sempre dava um jeito de disfarçar os verdadeiros fatos, enquanto a história de Kiki, sim, tinha cara de ser verdadeira.

— Peraí, tia! Deixa a Kiki falar.

— MAS EU SEI EXPLICAR MELHOR QUE A KIKI!

Foi quando uma menininha ruiva, de cabelos encaracolados, chamada Maribel, lembrou-se do pior.

— Mas, tia Cida, você não tem filhos...

Esse foi o argumento definitivo. Todas as crianças olharam para ela com desprezo, e Cida percebeu que nunca mais teria crédito naquele assunto. Sem ter a menor ideia do que fazer e com vontade de chorar, deixou Kiki ir até o fim.

—Então é isso. O papai vai por cima da mamãe. Ela começa a berrar. Depois, ele pega na garganta dela e tenta esganar. Se ela deixar, morre. Se ela não deixar, nasce o nenê.

Célia, uma aluna emotiva e meiga, não gostou nem um pouco da explicação, que a assustou terrivelmente.
— Mas quer dizer que a mamãe pode morrer?
— Só se ela quiser.
— Meu pai não pode fazer isso!
— Todos eles fazem. Não adianta falar nada.

Ao ver os rumos pantanosos que a conversa tomava, a professora começou a ficar cada vez mais confusa e voltou a tentar chamar a atenção dos alunos.
— Ei, pessoal! Vamos brincar de pega-pega?

As crianças perceberam o nível de apelação da pobre professora e nem se deram ao trabalho de olhar para trás, ignorando-a profundamente.
— Mas por que ele não tenta com revólver, que ia ser muito mais fácil?
— Tem de ser no muque.

Cida ficou tão desesperada que resolveu sair da sala para buscar ajuda da diretora, Patrícia.
— Dona Patrícia. Lembra-se da aula que eu ia dar hoje?
— Sobre Egito?
— Não, dona Patrícia. Sobre o nascimento dos pintinhos...
— Ah, certo. E então, foi boa?
— Dona Patrícia, a aula ainda não acabou, mas eu perdi completamente o controle da situação.

Explicações feitas, a professora e a diretora seguiram correndo para a pequena classe no fundo do corredor. Ao entrarem na sala, ainda puderam ver o final da demonstração de Kiki. A menina estava montada em cima de Ernani. Os dois estavam deitados sobre duas carteiras unidas. Kiki estava tentando bater nele, e ele parecia gemer.

— Geme mais alto! Mais alto!

Para ajudar no coro, as quinze crianças começaram a berrar, a gemer e a sussurrar o mais alto que podiam, numa daquelas farras inesquecíveis.

— O QUE ESTÁ ACONTECENDO AQUI!?

Ao ouvirem os berros da diretora da escola, as crianças perceberam a gravidade da situação e saíram correndo para suas carteiras, com o rabo entre as pernas. Por alguns instantes, imperou o silêncio. Então a diretora foi até a lousa verde e, sem perguntar nada para ninguém, disse:

— Tudo o que a Kiki disse é mentira. E eu não quero ver ninguém mais falando nesse assunto dentro desta escola. Se querem saber como os bebês nascem, vocês devem perguntar cada um para os seus papais. Está bem? Agora vamos todos para o pátio, que está na hora do recreio.

Ainda emocionalmente abalada, Cida acompanhou até o parquinho as quinze crianças enlouquecidas, em rodopios e correrias. Com alívio, notou que o assunto tinha se dissipado, embora continuasse havendo no ar certo fascínio pela menina Kiki.

— Quer brincar na gangorra comigo? — perguntou Ernani.

— Não. Ela vem no escorrega comigo — respondeu Maribel.

No fim do dia, quando as mães vieram buscar seus filhos, a diretora foi esperar a mãe de Kiki, Celeste, grávida de seis meses, à porta da escola. Educadamente, pediu-lhe que desse um pulinho até sua sala.

— Maria Cristina, o que você andou aprontando, hein, minha filha?

Kiki não disse nada, tentando ignorar a importância dos fatos daquela tarde. Assim que viu a mãe entrando na sala da diretora, voltou a se contorcer no "trepa-trepa".

— Boa tarde, Celeste. Tudo bem? E o nenê, é menino ou menina?

— Dessa vez não deu pra ver. Ele está de costas.

— Sente-se, por favor.

Celeste sentou-se na sala da diretora um pouco temerosa.

— E então, aconteceu alguma coisa com a Kiki?

Patrícia não disse nada, apenas chamou a professora Cida.

— Esta é a mãe da Kiki, dona Celeste.

— Prazer, eu sou a professora da sua filha.

Então Cida contou toda a história daquela tarde, narrando principalmente a aflição que sentira quando Kiki dominou a cena.

— A menina tem uma personalidade extremamente forte! A senhora tem de controlar isso em casa!

Celeste ficou chocada com o fato narrado.

— Agora entendi tudo.

Patrícia não entendeu nada, mas aconselhou a mãe da aluna a esclarecer para a filha os fatos da vida, para que ela não tivesse mais asas para voar tão longe e em terrenos tão perigosos.

— Está certo. Eu falo com ela.
— E como vai o Paulinho? Está indo bem na escola nova?

Assim que Celeste saiu da sala, Patrícia demitiu a professora Cida, que, pela segunda vez naquele dia, chorou até a humilhação.

— A senhora vai me despedir? Mas eu não fiz nada! A culpada é aquela depravada!

Celeste saiu da sala da diretora, pegou a filha pela mão, colocou-a no banco de trás de seu Passat verde, e as duas foram, em silêncio, até chegar bem próximo de casa. Cruzando sinais e avenidas, Kiki voltou a pensar na celeuma da tarde. De alguma maneira fugidia, ela sabia que, a essa altura, sua mãe também já sabia. Celeste, por seu lado, também tentava imaginar o que sua filha de seis anos pensava, enquanto encaixava as peças de seu quebra-cabeças.

— Desgraçada!

Fazia exatamente seis meses do acontecido. Tinha sido antes de Celeste saber que estava grávida. Naquele sábado, Celeste, o marido, Cavalcanti, e os dois filhos — Kiki e Paulinho — tinham acordado bem cedo para ir ao zoológico. Na esquina de casa, as duas crianças já estavam brigando.

— Eu quero ir atrás da mamãe!
— Eu cheguei primeiro!

Celeste conseguiu fazer com que eles parassem, dizendo que ir atrás do pai ou da mãe era a mesma coisa. Logo recomeçaram a briga.

— Esse chocolate é meu!

— O seu pedaço tá maior!

Brigaram tanto durante o caminho que, a certa altura, Celeste distribuiu pancadas ao léu, direcionadas à de trás do carro. Frente à violência física, as crianças pararam por um tempo. É claro que, ao chegarem ao zoológico e sentindo-se livres por causa do vasto ambiente, logo os dois irmãos recomeçaram a luta.

— Quero ir pra esse lado!

— Não! Vamos por ali!

Os pais já não estavam mais aguentando ciceronear gladiadores, mas seguiram em frente, distribuindo cachorro-quente, pipoca, refrigerante e algodão-doce na tentativa de pacificar o conflito. Eles davam de tudo, mas os irmãos continuavam brigando.

— Bobo!

— Filhinha de papai!

Celeste foi ficando tão irritada com aquela agressividade entre os filhos que quis voltar logo para casa. Cavalcanti, que só via os filhos no fim de semana, não gostou desse súbito corte no seu dia. Aproveitou a onda de agressividade que rondava a família e começou a provocar a mulher.

— Assim não dá! Assim não dá!

De repente, a família Cavalcanti parecia ter encontrado sua harmonia. Irmão e irmã se chutavam de um lado, enquanto pai e mãe se carcomiam do outro.

— Você é uma besta! Eu devia ter ouvido os conselhos da minha falecida mãe.

— Ah, é? Ah, é? Pois saiba que ainda tem tempo! O cartório é logo ali.

— Não sou eu que tô falando. É você. Depois não diga que eu não avisei.
— Avisou o quê, meu filho?

Celeste e Cavalcanti se inflamaram de tal maneira que Kiki e Paulinho até pararam de brigar, numa fantástica inversão de papéis.

— Para, mãe!
— Calma, pai!

A despeito dos apelos dos filhos, o casal parecia cada vez menos entrosado.

— Espera, meu filho. Toma aqui um dinheirinho. Vai tomar sorvete, vai. Vai filha!

Dispensadas as crias, a conversa logo desceu ao nível do bueiro.

— Burra! Burra, sim, senhora! Até o guarda-noturno sabe que você é burra!
— E você, que tem mau hálito?
— Mau hálito? E você, que ronca como uma porca?
— Vá pra a puta que te pariu, seu imbecil!

Kiki e Paulinho se aproximaram da cena e, ao verem os ânimos se exaltando rumo ao desconhecido, começaram a chorar. Ao ver a cara das duas crianças, Celeste calou-se imediatamente.

— Depois a gente termina essa conversa.

Cavalcanti, por seu lado, também acalmou os nervos, e os quatro continuaram visitando os bichos, como se nada tivesse acontecido.

— Papai, por que a girafa tem um pescoço tão grande?
— Pra pegar os cocos lá em cima no coqueiro.
— Pai, por que os macacos gostam de banana?

— Porque é gostoso, ora.
— Pai, por que as cobras são tão malvadas?
— Por que elas têm veneno.
— Ei, o que o leão está fazendo com a leoa?
— Nenê.
— Ah...

A paz parecia reinar sobre a família, até que, pouco antes do almoço, as crianças ficaram com fome e voltaram a ficar irritadas.

— Mas já, Kiki? Você não comeu um monte de coisas?

Um monte de coisas não era almoço, e logo os quatro estavam voltando para casa. No banco de trás, os dois irmãos estavam tão bem-comportados que pareciam surdos-mudos. No banco da frente, pai e mãe tentavam fazer as pazes.

— E aquele terreno de Juquitiba? Será que vende ou não vende?

— Não sei. E sua tia Lotinha? Curou da hepatite?

— Como é que ficou o caso daquele seu amigo, o Freitas?

A família chegou em casa um pouco antes da uma hora da tarde. A cozinheira Diva já tinha preparado o almoço e, enquanto servia a mesa, teve paciência para ouvir as animadas descrições dos animais feitas pelas crianças.

— O leão é maior que o elefante!
— A arara do zoológico fala até inglês.

O casal sentou-se à mesa e almoçou calado, apesar dos esforços insistentes das crianças em puxar conversa.

— Pai, quantos anos você tem?

— Mãe, você sabia que a vizinha da frente comprou um cachorrinho?

Mas, por mais que Kiki e Paulinho tentassem puxar assunto, não conseguiam tirar os pais de seu silêncio mórbido.

— Sobremesa!

Kiki e Paulinho se lambuzaram de pudim. Cavalcanti não comeu, porque não gosta de doces com calda, e Celeste também não comeu, porque queria emagrecer dois quilos até o final da semana — para ir ao aniversário da Rosa Barbosa, ela tinha de conseguir entrar em um apertado vestido amarelo.

Depois do almoço, os adultos tomaram café, e as crianças foram correr no quintal. Assim que Diva tirou a mesa e o casal se viu novamente a sós, toda a ira voltou à tona.

— Que história é essa de mau hálito?

— Que história é essa de separação?

— Foi você quem falou!

— É claro... Se você não me respeita nem na frente dos SEUS filhos, como é que eu posso continuar casada?

— SEUS filhos por quê? Essa eu não entendi!

— Por quê? Eles não são seus filhos?

— São nossos filhos, Celeste, nossos filhos!

— Disso você nunca vai ter certeza.

Celeste estava realmente apelando. Insinuar que os filhos não eram legítimos já era golpe baixo.

— O QUÊ!?!?

— Isso mesmo, seu cretino! O homem nunca tem certeza!

Nessa hora, Cavalcanti perdeu definitivamente a cabeça e pulou para cima da esposa, aos berros.

— Eu mato você, sua desgraçada! Eu mato você!

Kiki e Paulo, que brincavam com baldes de areia, do outro lado do terreno, ouviram os gritos e vieram correndo, com o coração apertado. Assim que chegaram ao terraço, viram sua mãe ajoelhada no chão, com as duas mãos juntas, numa cena humilhante.

— Pensa nas crianças, Cavalcanti! Pensa nas crianças!

Ao ver os filhos, e com a garganta vermelha e pulsante, Cavalcanti deu a ordem final.

— Crianças! Agora é hora de vocês irem para a pracinha.

Paulo e Kiki sempre quiseram ir sozinhos para a pracinha, mas os pais nunca os haviam deixado ir. Apesar de estarem assustados com toda aquela cena de violência, sentiram também que o drama que se desenrolava na sala podia trazer vantagens para eles.

— Podemos ir mesmo, pai?
— Podem ir! Vão! Chispem!

Animados, os dois irmãos cruzaram a rua sozinhos e chegaram à pracinha. Brincaram na gangorra, no pequeno carrossel e no tanque de areia. Depois de uns quarenta minutos, resolveram voltar.

— Manhê!
— Paiê!

Ninguém respondia. As duas crianças foram até o quarto do casal e ouviram alguns gemidos, às vezes altos, às vezes mais baixos. Ao colocarem as cabecinhas na porta entreaberta e verem os dois pais nus, numa luta corporal explícita, tiveram certeza.

— Ele tá matando ela.

Apesar de ser dois anos mais velho do que Kiki, Paulinho acreditava em tudo o que ela dizia.

— Tem certeza?

— Ele falou que ia, não falou?

Diante da possibilidade de perderem a mãe, Paulinho e Kiki ficaram apavorados.

— Vamos chamar a polícia! — sugeriu a irmã.

— Você sabe o número, não sabe?

Temeroso, Paulinho pegou o telefone e discou 190. Ao ouvir a voz do outro lado da linha, foi logo falando.

— Por favor, é da polícia? Por favor, corram para a rua Manduri, número 234. Seu Cavalcanti tá tentando matar a dona Celeste.

Assim que desligaram o telefone, as duas crianças pressentiram que estavam fazendo algo de errado. Então Kiki propôs o pacto de silêncio.

— Você não conta nada pra ninguém que eu te dou metade do meu ovo de Páscoa.

Paulinho aceitou a oferta, e os dois voltaram para a pracinha, como se nada tivesse acontecido. A polícia chegou em doze minutos. Cavalcanti e Celeste ainda estavam na cama e não ouviram o som da campainha. Os policiais, preocupados, acabaram invadindo o jardim, e o casal quase foi pego em flagrante por um dos guardas.

— Não. Não está acontecendo nada aqui. Quem telefonou?

Foi um engano.

— Trote!

— Que absurdo!

Assim que os policiais saíram, Celeste caiu em prantos.

— Que horror! São Paulo é uma violência! Quem teria feito uma sacanagem dessas com a gente?

Quando as crianças voltaram da pracinha, nem ficaram sabendo se a polícia tinha realmente ido até lá ou não. Como seus pais nada falaram, elas acharam por bem nem perguntar. Cavalcanti e Celeste nunca comentaram a estranha visita da polícia nem com as crianças, nem com os amigos, nem com ninguém. Por via das dúvidas, despediram a cozinheira Diva.

Seis meses mais tarde, Celeste finalmente veio a saber da verdade, da maneira mais delirante.

— Coitada da Diva...

Mãe e filha estavam quase na rua de casa quando Celeste resolveu pôr um ponto final naquela história.

— Kiki, foram vocês que chamaram a polícia naquele dia do zoológico?

A filha tentou disfarçar, mas Celeste teve certeza de tudo quando a Kiki lhe fez a seguinte proposta.

— Se você me der dois ovos de Páscoa eu te conto.

— Tudo bem, Kiki. Não precisa falar. Eu já sei.

— Você me dá os dois ovos do mesmo jeito?

Celeste disse que daria os dois ovos, mas continuou curiosa com os meandros do raciocínio da filha. Já se dera conta de que Kiki tinha pensado que o marido estava tentando matá-la naquele dia. Já se dera conta do telefonema. Só não entendia uma coisa: como Kiki ligara os fatos?

— Ah, mãe... Pensa que eu sou boba? E eu não vi o leão fazendo nenê na leoa?

Enquanto isso, do outro lado da cidade, num orelhão fedorento da rodoviária do Tietê, Cida voltava a chamar Americana.

"Esta é uma chamada a cobrar. Por favor, depois do sinal, diga o seu nome e a cidade de onde está falando."

— Alô, mãe? Aparecida, de São Paulo, tudo bem? Escuta, bota água no feijão que eu tô voltando. Não foi nada não. Depois eu te conto. É que o pessoal aqui em São Paulo é moderno demais. As crianças são loucas. Não deu. É isso. Tô pegando o ônibus. No jantar eu te conto os detalhes. Beijo no pai. Beijão. Tchau.

28 de março de 1994

4
quando o sangue sobe à cabeça

Quando certa manhã Paulo Silva Silveira acordou de sonhos intranquilos, não viu a mulher ao seu lado.
Deve estar no banheiro.
Paulo saiu da cama e andou até o banheiro, mas, para sua surpresa, encontrou a porta aberta. Resolveu, então, descer para tomar o café. Porém, na cozinha, a mesa não estava posta.
Onde anda a Dalva? O que está acontecendo nesta casa?
Paulo achou que tinha acordado cedo demais e conferiu o horário ligando o rádio. Sem entender direito aquela quebra de rotina — inédita em vinte e cinco anos de casamento —, resolveu fazer ele mesmo seu desjejum. Antes que encontrasse o pó do café, ouviu um grito vindo lá de cima:

— MÃÃE! MANHÊ!!!
Paulo subiu correndo e encontrou a filha Julinha com a camisola toda ensanguentada, pulando no corredor.
— Fiquei, fiquei!
— Parabéns, minha filha, parabéns! Agora é melhor você...
— Veja, pai! O sangue é a prova.
Paulo ficou meio constrangido com a cena daquela garota, pulando como uma criança e se dizendo uma moça, vestindo aquela camisola obscena.
— Vai trocar a camisola!
O pai realmente não entendeu por que Julinha saiu chorando. Correu atrás da filha, que entrou rapidamente no banheiro e bateu a porta.
— ESTÚPIDO!
— Desculpe, minha filha, eu não sabia.
Paulo pouco sabia sobre o sexo feminino. É possível dizer que ele era daqueles homens que tinham nascido, crescido e sobrevivido sem nunca ter conhecido o amor por uma mulher. Desceu de novo para a cozinha.
— Onde será que elas escondem o raio do pó do café?
No banheiro, Julinha tomava banho excitadíssima, depois de ter pendurado a camisola ensanguentada em um cabide de ferro torto, bem ao lado do espelho. De vez em quando, ela colocava a cara para fora da cortina do chuveiro, contemplava a camisola suja e respirava profundamente, quase que brindando a nova existência. Quando saiu do banho, teve de improvisar um absorvente com um bolo de papel higiênico, pois não havia nenhum no armário, como ela já constatara nos dias anteriores.

Já de banho tomado, Julinha viu seu pai abrindo e fechando armários na cozinha.

— Onde anda a Dalva?

— Sei lá.

— E a sua mãe?

— Também não sei, pai. Não me enche!

— Como assim?

— Como assim, o quê?

— Cadê a sua mãe?

Julinha saiu sem responder. Bateu a porta mais uma vez e foi para a farmácia. Lá chegando, foi direto ao assunto:

— Por favor, o senhor me dá um absorvente?

Ao ouvir as próprias palavras, ruborizou-se. O atendente entendeu tudo.

— Pequeno, médio ou grande?

— Bem, acho que minha mãe vai preferir o médio.

Ele então se achegou bem perto dela, do outro lado do balcão, e sussurrou:

— Ficou mocinha?

Julinha quase morreu de vergonha e voltou correndo para casa com o pacote na mão.

Ela não entendeu nada quando viu três carros de polícia parados na frente do quintal de casa. Assustada, saiu correndo em direção ao tumulto, mas foi barrada por um policial.

— Ninguém pode passar.

Julinha explicou que morava ali e perguntou o que havia acontecido.

— A polícia ainda não sabe. Talvez suicídio.

Julinha entrou correndo, pensando que talvez a mãe... Chorava de dor e pânico, ao mesmo tempo em que não conseguia evitar um pensamento: *e se ela morreu sem saber que eu fiquei mocinha?* Porém, logo percebeu que o movimento vinha do quarto da empregada. Correu até lá e, entre fotógrafos, repórteres e policiais, viu a cena da qual nunca mais conseguiria se esquecer. Sua babá Dalva estava morta em cima da cama, com o corpo nu (era a primeira vez que ela via a Dalva nua) e o lençol encharcado de sangue. Do lado de fora, seu pai andava em círculos perto do tanque, com os olhos esbugalhados enquanto passava o lenço repetidas vezes na testa, como se pudesse assim limpar sua preocupação.

— Dalva! Dalvinha? Você tá me ouvindo?

Julinha chacoalhava a morta com amor e ódio.

— Menina, não entra aí!

Julinha já tinha entrado.

— Minha filha! Minha filha!

Era o avô chamando. Julinha subiu correndo para ver o que ele queria. Ao entrar no quarto do velho, a menina sentiu um cheiro horrível, mas teve de disfarçar, para não constranger o avô, que afinal estava engessado e não tinha como se locomover até o banheiro. Era triste, mas era verdade. Seu Onofre tinha cagado na cama outra vez. Tentando manter sua dignidade, o velho, apesar do calor, tinha colocado dois cobertores sobre a cama para que ninguém visse o que era possível facilmente farejar.

— Minha filha, pelo amor de Deus, o que está acontecendo nesta casa?

Julinha não tinha coragem de dizer. Primeiro, porque ainda não acreditava no corpo morto que acabara de presenciar. Segundo, porque ainda nem chorara. Terceiro, porque talvez o avô se sentisse ludibriado se soubesse que alguém naquela casa havia morrido antes dele.

— Não foi nada, vô. Suspeita de roubo.

— Ah... Julinha, por favor, chama a Dalva pra mim?

Era a Dalva que estava acostumada a ajudá-lo nesses seus acidentes intestinais.

— A Dalva não pode vir, vô.

— Como não pode vir?

— Vô, a Dalva ficou doente.

— Ficou doente? Como assim?

— É, vô. Está doente.

— Você pensa que me engana? A Dalva morreu!

O velho sabia. O velho sabia porque, apesar de velho, não era bobo. Mas Julinha fingiu que não sabia.

— Morreu, vô?

— Só pode ter morrido.

— Por quê, vô?

Porque a Dalva nunca falhava. A Dalva nunca tinha ficado doente. A Dalva não atrasava. A Dalva não faltava. Portanto, se a Dalva não estava ali, era porque ela havia morrido. *Mas morrido de quê?*, pensava, enquanto esperava uma satisfação da neta.

— Aborto provocado — disse o legista.

— A moça enfiou agulhas de tricô no próprio ventre, só que o feto já estava avantajado, eu diria quatro meses... Teve uma hemorragia interna, perdeu muito sangue e ó... babau!

Paulo, que nunca fumara na vida, foi até a sala com as mãos tremendo e acendeu um cigarro.

Gente ignorante! Como vai fazer um negócio desses dentro da MINHA casa?

Andava de um lado para o outro, tragando o cigarro e batendo as cinzas repetidas vezes. Quando Julinha apareceu chorando, querendo saber o motivo daquela sangueira, ele disse com convicção de pai.

— Hemorragia interna.

— Mas assim, sem mais nem menos?

— É, menstruou demais...

— Mas isso acontece?

— Pra caramba!

Imediatamente Julinha começou a sentir cólicas terríveis e foi para o seu quarto se contorcendo, tentando entender essa nova dor aguda do seu corpo. Antes de deitar-se na cama, teve de fechar a porta do quarto para não sentir o cheiro que vinha do quarto do avô.

*

— Diga que não vou.

Paulo desligou o telefone certo de que não iria nunca mais àquela repartição. Iria se aposentar.

E Dora que não aparece?

Afinal, quem vai tomar as providências do enterro? Vestir a morta, comprar o caixão, comprar o túmulo?

Meu Deus, essa mulher trabalha há dezessete anos com a gente e eu não sei o telefone de nenhum parente dela! Será que a gente enterra no túmulo dos Silva Silveira?

O corpo de Dalva seguiu para o necrotério, onde seria feita a autópsia, apesar de os motivos do ocorrido estarem mais do que evidentes. Estavam estampados no lençol branco, como tintas de uma tela expressionista. Um pouco aliviado ao pensar que não apontariam outras hipóteses para essa morte repentina, Paulo entrou novamente em seu quarto e viu um envelope em cima da escrivaninha de Dora. Tremeu dos pés à cabeça ao imaginar seu conteúdo. Porém, ao abrir o envelope, encontrou linhas jamais imaginadas.

"Não é nada contra você. É só que... Eu ainda não morri. Adeus."

Paulo subiu até o segundo andar, suando e bufando, transtornado até a raiz dos cabelos. Abriu a porta do quarto da filha — que chorava de cólica, com uma botija de água quente sobre a barriga —, e foi logo perguntando, com a objetividade de um delegado:
— Maria Júlia, o que você tem a me dizer sobre isto aqui?
Ao ler o bilhete da mãe, Julinha caiu em prantos:
— O que você fez pra ela?
— O que ela te falou sobre isso?
Paulo dizia de um jeito que fazia Julinha se sentir culpada.
— Fala, sua mentirosa, fala!
— Eu não sei de nada! Eu não sei de nada!
— Vocês enlouqueceram? Enlouqueceram todas? O que é que há, hein!?

Paulo bateu a porta violentamente e saiu. Ao imaginar como seria sua rotina sem as mulheres da sua vida, Julinha sentiu uma tontura e pensou que ia desmaiar.
Será que a mamãe pegou hemorragia interna da Dalva?
Paulo percebeu que Julinha não sabia de nada e resolveu continuar seu inquérito no quarto do pai.
— Pai, o que aconteceu de errado ontem aqui nesta casa?
— A Dalva morreu de quê?
— A Dalva morreu de morte morrida — respondeu Paulo rispidamente, mais interessado em saber que raios havia ocorrido com a esposa. — Agora me diga, o que você ouviu aqui ontem? Cadê a Dora? Cadê a Dora?
Paulo pediu para que o pai lhe contasse tudo o que vivera naquela casa no dia de anterior.
O velho não poderia contar mais do que uma parte. Afinal, quase tudo tinha acontecido no banheiro.

*

Seu Onofre havia entrado no banheiro fazia um bom tempo e não saía mais.
— Vô, tô atrasada.
— TEM GENTE! — gritava cada vez que alguém tentava abrir a porta.
Lá dentro, porém, o velho lavava as cuecas descompromissadamente.
Hemorroidas pode não ser a pior, mas é a mais humilhante das doenças!

Depois de um bom banho, seu Onofre passou talco Granado entre os artelhos, fez a barba na pia, lavou a gilete. Finalmente, vestiu o pijama, as chinelas e abriu a porta.

Julinha, na sua impaciência de adolescente, não quis nem saber. Olhou bem para a cara dele, com um sorrisinho falso estampado na cara, e pensou: *VELHO!*

Seu Onofre, a passos mansos, seguiu para seu quarto de cabeça baixa sem dizer palavra.

Julinha, na verdade, não estava com pressa. Ela só queria ficar sozinha no banheiro.

— É o único lugar onde se tem sossego nesta casa — dizia Dora, enquanto batia a massa de panquecas que serviria às amigas no chá das quintas-feiras.

— Dona Dora, a senhora vai querer usar aquele vestido branco neste fim de semana?

— Não sei, Dalva, por quê?

— Se a senhora for usar, eu passo ele hoje mesmo.

— Não sei. Pode passar, então.

— E aquele amarelo, ainda serve na senhora?

— Qual amarelo?

— Aquele de seda, que a senhora ganhou da dona Elisa.

— Ih, Dalva! Tá me chamando de gorda?

— Cruz-credo, dona Dora!

— Você não pode falar nada, hein!

— Não é isso, não.

— Tá querendo o vestido?

— É que tem o casamento da filha da Mariana.

— Credo, aquela menina?

— Embarrigou.

— Pode pegar. Depois devolve. Não. Pode ficar pra você, acho que não me serve mais.
— A senhora é uma mãe!
Julinha tomou banho de banheira. Colocou xampu de maçã na água, para aromatizar. Depois, achou por bem passar também um pouco de condicionador, para hidratar. Acabou tendo que tomar uma chuveirada para tirar o excesso de óleo.
— Julinha, telefone!
— Pergunta quem é, mãe!
— Quem é? Ora quem é... A Paulinha, é claro!
Julinha saiu do banho enrolada na toalha e foi falar com a amiga. Dora sentou-se no sofá e começou a sentir os calores. Resolveu passear pela sala, como se aquele ventinho pudesse melhorar as coisas. Dalva percebeu que a patroa não estava bem.
— A senhora quer que eu faça alguma coisa?
— Não tem jeito, Dalva. Quando começa, não tem o que melhore.
— Nem um mate gelado?
— Obrigada, Dalva. É um calor que vem de dentro...
— Um copinho d'água?
— Dalva, por favor!
Dalva saiu da sala com um forte sentimento de superioridade em relação à patroa. Ela, que havia chegado em São Paulo com dezessete anos e praticamente fora criada por aquela mulher fina e incrivelmente sabedora das coisas da vida, de repente sentiu-se vingada. Sim, Dora era rica, tinha marido, tinha uma filha linda, tinha casa na praia, tinha dinheiro e educação.

Mas, apesar de tudo, agora estava ali, suando como uma cabra velha. E, enquanto isso, a filha passava o dia ao telefone.

Isso é vida?, perguntava-se a empregada enquanto tirava um bolo de mandioca do forno. Ao abaixar-se, sentiu uma tonteira.

— Dalva, você viu minha agenda?
— Não tá no seu quarto?
— Não, não tá.
— Não tá no escritório?

Julinha desabou na copa, como se o mundo fosse cair.

— Menina, o que é que você tem?
— Ih, Dalva, não enche!
— Fala, Julinha. Fala!

Então Julinha disse que andava muito apreensiva, pois sabia que estava quase na hora de ficar menstruada.

— Mas é só isso?
— Como é só isso? Todas as meninas da minha classe já ficaram!
— A Paulinha já ficou?
— Ficou ontem.
— Ficou?
— Ficou.
— Ela teve cólica?
— Não. Não sentiu nadinha. Só foi fazer xixi e de repente deu de cara com aquele sangue bem vermelho e bem brilhante na calcinha.
— MENTIRA!
— Como mentira?

Sim, Dalva era da opinião de que a primeira menstruação sempre trazia cólicas. Se Paulinha não havia tido cólica era porque não havia ficado menstruada.

— Tem certeza?

— Absoluta, minha filha. ABSOLUTA!

Julinha ficou totalmente histérica com a hipótese de Paulinha não ter ficado realmente menstruada e correu para a sala a fim de confirmar com a mãe.

— Que besteira, minha filha!

— Olha, mãe, talvez não seja tanta besteira. Todas as outras meninas, as que eu vi o sangue com meus próprios olhos, todas elas tiveram cólica. Não é muita coincidência?

Dora tentou demover Julinha dessa certeza ignóbil, mas, a certa altura, percebeu que a filha precisava acreditar nela.

— Tudo bem, minha filha. Talvez isso seja verdade. Eu não me lembro mais.

A responsável pela celeuma foi para o seu banheirinho dos fundos. Mais uma vez tirou as calças para ver se a menstruação não tinha descido. Nada. A calcinha continuava branca, como se tivesse acabado de sair do tanque. Ainda tonta e cada vez mais transtornada, Dalva voltou para a cozinha, onde começou a preparar o jantar.

Julinha também voltou a se trancar no banheiro. Fez xixi mais uma vez, na esperança de ver o sangue.

— Dona Dora, corre aqui, o seu Onofre teve um troço!

Dora subiu as escadas e, ao chegar ao quarto, viu o velho caído na cama, com os olhos esbugalhados.

— DEUS DO CÉU!
A primeira providência da nora foi conferir o pulso do sogro. Mas quando colocou os dedos no braço do velho, seu Onofre abriu os olhos abruptamente e, com um sorriso cínico no rosto, disse:
— AINDA NÃO!
Dora, que já estava praticamente encomendando as flores, teve um sobressalto e berrou:
— SEU ONOFRE! Isso é coisa que se faça?
O velho riu mais uma vez.
— O que que é? É brincadeira agora?
Dora virou as costas e não quis maiores explicações.
— Velho sem-vergonha!
Para Dalva, seu Onofre disse que tivera um desmaio. Começou com uma tonteira pequena, ele pensou que não fosse nada e continuou a ler seu livro, mas a tonteira foi aumentando, aumentando, e quando ele tentou gritar, já não tinha voz.
— Por sorte que eu estava passando!
Sim, Dalva era uma mulher onipresente. Empregada extremamente dedicada, conhecia como ninguém cada canto daquela casa e cada hábito de seus moradores. Ao longo dos anos, desenvolvera também uma capacidade de andar tão silenciosamente que poderia desfilar por qualquer cômodo sem ser notada.
— Dalva, sabe onde está minha pinça?
Dalva nem precisava responder. Ia até alguma gaveta misteriosa e sempre trazia as coisas de volta. Se, por acaso, ela não achasse, era porque alguém as tinha roubado.

— Ou então você esqueceu na casa de uma dessas suas amigas!

Julinha chegou a ficar quinze minutos olhando para a própria calcinha, como se o sangue pudesse brotar, por atraso, do tecido absorvente.

Tenho certeza agora. A Paulinha mentiu.

Talvez tivesse mentido mesmo. A Paulinha praticamente não tinha busto, nem cintura, nem espinhas. Por que haveria de ter ficado menstruada antes de Julinha, que já tinha quase um corpo de moça?

— Já sei! Vou visitar a Paulinha. Quando ela for ao banheiro, eu vou atrás. Não! Melhor, melhor! Vou dizer pra ela que eu também fiquei! Vou fazer um cortezinho no dedo, sujo o Modess com o sangue e vou até lá. Daí digo que quero comparar a cor dos sangues e, se ela não quiser, então vou ter certeza de que ela mentiu! É isso!

Ao sair do banheiro com seu plano engatilhado, Julinha percebeu, finalmente, o quiproquó que havia se formado no quarto do avô.

— Vô, o que aconteceu?

— Nada, minha filha, é só a morte chegando.

Seu Onofre dizia isso com a naturalidade de um *expert*. Viúvo, aposentado e sem ambições, ele havia decretado a própria morte quando completara sessenta anos. Isso havia sido vinte e oito anos antes.

— Que morte nada, vô! Você sempre diz isso!

— Minha filha, já estou com oitenta e oito anos. Se não for agora, quando vai ser? Eu não vou ficar aqui pra sempre, não é?

Paulo chegou esbaforido no seu velho Santana preto. Dalva correu para abrir o portão.
— Como está o papai?
— Já está bem, doutor Paulo. Graças a Deus, eu estava passando bem na horinha!
Paulo subiu as escadas, pulando os degraus. Encontrou o pai conversando calmamente com Julinha.
— E aí, velho?
— Ainda não foi dessa vez!
Paulo espreguiçou-se e só depois de ter visto o pai vivo percebeu que havia chegado em casa muito cedo. Cedo demais. Pensou em voltar para a repartição, mas com aquele trânsito pesado, ia ser o tempo de botar o pé e voltar. Achou melhor ficar.
— Vou tomar um banho!
Paulo seguiu para o banheiro e encontrou a porta fechada. Bateu. Como ninguém respondia, ele continuou batendo, cada vez mais forte. Aquele sinal fechado começou a irritar-lhe os cornos. Afinal, ele estava em casa mais cedo, queria tomar um banho, queria estar um pouco só no banheiro. O que o bom marido não sabia era que sua esposa estava lá dentro, com o tronco reclinado na privada e as pernas abertas, se masturbando em plena tarde, hábito que adquirira havia muitos anos.

Em matéria de sexo, quando há amor, tudo vale!

A masturbação aconteceu por acaso. Uma noite, logo depois das núpcias, acordou num movimento de prazer, vindo do centro da barriga. Paulo estava dormindo, e a jovem Dora resolveu tocar-se. Foi tocando, tocando e acabou descobrindo uma verdadeira fonte de prazer ao seu alcance. Se tivesse coragem, certamente ela diria que a masturbação foi para ela uma experiência sexual, talvez, mais importante, ou, pelo menos, mais frequente do que o próprio coito. Nos primeiros anos, masturbava-se a qualquer hora do dia ou da noite. No carro, no táxi, embaixo da mesa do restaurante, vendo TV. Gostava de continuar conversando com as pessoas enquanto praticava aquilo de maneira tão rude. Nunca ninguém tinha notado.

— Mas que raios você quer, Paulo?
— O que você está fazendo aí?
— Ora, o que eu estou fazendo aqui? Estou me preparando pra tomar banho, o que mais eu poderia estar fazendo aqui?
— Posso tomar banho com você?
— O QUÊ? TOMAR BANHO COMIGO?

O Paulo deve estar completamente louco! Já não basta eu ter de cuidar do cagão do pai dele, não basta eu ter de administrar essa merda dessa casa e ter de educar a chata da menina, agora essa! Ora, faça-me um favor...

Dora apenas pensou, mas não foi o que ela falou.

— Não, meu amor, hoje não dá! A Sílvia, a Carla e a Priscila já devem estar chegando!

Antes que ele pudesse importuná-la ainda mais, Dora ligou o chuveiro e foi tentar terminar o serviço embaixo d'água. Irritado, Paulo foi esperar no quarto. Fechou a porta e deitou-se na cama. Há quantos anos ele não chegava em casa ainda à luz do dia?

*

— Dalva, me conta melhor. Como foi sua primeira vez?
— Lá na Bahia, as mães da gente não fala tudo assim, que nem aqui em São Paulo, não. Eu vi aquela sangueira e escondi.
— Por quê?
— Achei que tava doente.
— Jura?
— É minha filha...
— Ai, Dalva, não vejo a hora!
— Calma, menina, tudo tem seu tempo. Agora vamos parar de conversa que eu tenho que fazer o jantar.

Julinha foi para o quarto e Dalva tornou a ir ao banheiro. Ao ver a calcinha limpa mais uma vez, começou a chorar.

Ai, minha Nossa Senhora Aparecida, isso não pode ser verdade...

Voltou para a cozinha. Dentro de si, só uma certeza. Isso era castigo de Deus. Como ela, que, apesar das diferenças, tinha sido criada por Dora, foi fazer AQUILO, meu Deus?

Como isso foi acontecer?

Porém, apesar da culpa e do medo, a nostalgia romântica voltou a brotar no seio da empregada. Naquela noite, Dora estava no Guarujá com Julinha e seu Onofre. Dalva estava assistindo à novela das oito, quando ouviu as buzinadas do patrão. Imediatamente ela desligou a televisão e correu para abrir-lhe o portão. Depois serviu-lhe a sua adorada sopa de feijão. Eis que surgiu um olhar diferente. E eis que Paulo simplesmente olhou para ela.

— Dalva, você tá diferente...
Não, Dalva não estava diferente. Dalva era a mesma apaixonada de sempre. Será que ele não percebia que ela sempre gostara dele? Será que ele não sabia que ela lhe dedicara a vida? Será que era a primeira vez que ele notava que ela, apesar de ser só a empregada, era também uma mulher? E que ela o amava?
— Não, seu Paulo, o senhor é que bebeu umas biritas a mais!
Tinha bebido mesmo. Era bom o verão, quando Dora ia para o Guarujá. Ele podia sair à noite, podia beber, podia até olhar outras mulheres. Mas era muito estranho que tivesse sentido desejo justamente por sua empregada de longa data!

*

Sílvia chegou junto com Carla. Dalva levou-as para o escritório, onde deveria acontecer o encontro feminino.
— Tá forte, hein, Dalva?
— É saúde, dona Carla.
— Saúde nada, isso é comida mesmo!
Ao notar a chegada das amigas da mãe, Julinha subiu rápido para o quarto, pois estava "sem saco" para cumprimentar as tias.
— Dona Dora! As visitas chegaram!
— Tá o.k., Dalva! Já estou descendo.
Era hoje que Dora não conseguiria terminar o que havia começado.

— Ai, que ódio! Tudo por causa desse velho! Aposto que nem teve nada.

Dora saiu do banheiro com os nervos à flor da pele. Quando tentou entrar no quarto, encontrou a porta trancada.

— Amor! Amooor!

Dora nunca poderia imaginar que a recíproca era verdadeira, que Paulo tivesse trancado a porta porque também ele sentira vontade de se masturbar em plena luz do dia. Também para ele a masturbação era uma prática mais importante que o próprio coito.

— Amor! Amooor!

Paulo continuou sem responder, como se estivesse dormindo, enquanto voltava a ter condições físicas de apresentar-se à mulher. Finalmente levantou e com falsa expressão de sono disse:

— Caí no sono.

Dora não reparou na atuação ruim, nem quis indagar nada. Pegou as roupas e foi se vestir no banheiro.

— O que que é? Não fica mais pelada na minha frente?

— Não é isso, Paulo. Eu... Eu não quero atrapalhar o seu sono.

E saiu. Quando Dora chegou ao banheiro, encontrou a porta mais uma vez fechada. Bateu três vezes, com ódio.

— Quem está aí?

Era Julinha, é claro, se olhando no espelho.

— Sou eu, mãe.

— Abre já esta porta! Suas tias estão me esperando!

Julinha, a contragosto, abriu a porta para a mãe, mas não saiu do banheiro.

— Já cumprimentou suas tias?
— Mãe, eu tive bolando uma coisa.
— Fala, Julinha, fala.

Enquanto Dora se vestia—primeiro a calcinha, depois a cinta, depois a anágua e, finalmente, o tailleur —, a filha tagarelava.

— Eu vou descobrir um jeito de saber a verdade.

Dora nem mais se recordava do que a filha falava, mas, ao sentir o cheiro de obsessão no ar, lembrou-se imediatamente:

— Ah, filha, deixa essa Paulinha pra lá!

Julinha deixou o banheiro desolada. Lá dentro, Dora se olhava no espelho com terrível dor.

— Como eu tô gorda, meu Deus! Tô parecendo uma pipa!

Dora olhou para as calcinhas quase do mesmo jeito que Julinha olhara um pouco antes. Já fazia quatro meses que tinha ficado menstruada pela última vez. Começava a ter certeza de que, depois da menopausa, o próximo passo seria a velhice. Vestiu o tailleur. Estava apertado.

— Até o meu tailleur verde-água!

Dora desceu as escadas como se acabasse de cair das nuvens. Não estava acostumada a dividir com ninguém seus maiores sofrimentos. Cumprimentou as amigas. Em seguida, Dalva trouxe a bandeja com o chá e as torradas. As três começaram o bate-papo, que girava em torno das notícias do jornal, do cotidiano da casa, da família e da saúde. E, a certa altura, como acontecia toda vez, começaram a relembrar o tempo de juventude.

— Lembra o frisson que era na classe pra saber quem já tinha menstruado?
Sílvia respondeu com um choro inesperado.
— O que foi, Sílvia?
— Nada. Só que eu não aguento mais essa vida...
Sílvia sempre fora uma mulher forte e reservada, equilibrada e otimista. Ninguém esperava por aquilo. Era ela quem sempre distribuía gargalhadas. O que poderia estar acontecendo de tão terrível àquela fortaleza em forma de mulher?
— Não sei. Eu não tenho mais atrativos. Estou velha. Sinto calores. Meu peito caiu. Minha barriga é só pelanca. Eu tenho fome. Como posso me olhar no espelho?
Dora e Carla compreenderam imediatamente do que falava a amiga e, embora também se identificassem com aquela frustração, tentaram amenizar as coisas.
— Mas Sílvia, é assim mesmo...
— Acontece com todo mundo...
Sílvia estava inconsolável e, por mais que as amigas falassem, dentro dela só havia um pensamento: *eu não caibo mais no meu vestido azul! Nem no azul!*
Enquanto isso, no quarto, Paulo estava quase lá, quase lá... quando lhe ocorreu: *onde vou gozar?*
Ele que, como sua mulher, normalmente se masturbava no banheiro, de repente viu-se em maus lençóis.
Um lenço. Sim, um lenço!
Correu até a cômoda, mas naquele pequeno percurso, o pior aconteceu: ele broxou.
— Merda!

Paulo não acreditava que aquilo estivesse acontecendo. Poucos segundos antes ele estava praticamente ejaculando e, agora, ainda cheio de apetite — e mais cheio que nunca —, tinha em mãos nada mais que um pneu murcho.

— Que dia! Que dia!

Paulo resolveu tomar um banho.

No chuveiro, tudo há de voltar ao normal.

Mas quando ele chegou a banheiro, a porta estava fechada.

— Tem gente!

Era seu Onofre, que mais uma vez tinha borrado as calças.

Hemorroida pode não ser a pior, mas é a mais humilhante das doenças, repetia para si mesmo, enquanto lavava as cuecas na pia. Paulo, do lado de fora, começava a subir pelas paredes.

— Dalva, traz um copo de água com açúcar, por favor!

— O que aconteceu, dona Sílvia?

— Dalva, por favor!

Dalva saiu correndo e foi para a cozinha, movida por uma intensa curiosidade, mas antes que chegasse lá, ouviu o telefone tocar.

— Julinha, é pra você!

— Quem é?

— A Paulinha... Ora quem é!

Julinha foi correndo colocar seu plano em ação.

— Paulinha, você não sabe a coincidência: eu fiquei também!

Paulinha perdeu a voz.

— Como assim?
— Fiquei também! Menstruada!
As duas amigas combinaram de se encontrar. Paulinha chegaria em quarenta minutos. Julinha correu para o banheiro. Bateu à porta.
— Sou eu, minha filha!
— Não demora, pai, tô com pressa!
Por que raios ela teve de dizer que estava com pressa? Ele ainda estava ali no mesmo beco sem saída. Parecia até que a água do chuveiro tinha conseguido piorar as coisas. Sob a pressão da filha, agora sim é que não acabaria nunca mais. Achou melhor desistir.
— Toma, dona Sílvia, bebe o copo d'água.
Sílvia tomou a água com açúcar e achou melhor se acalmar, pois sabia que, em se tratando dessas questões, não havia soluções imediatas. Então as três amigas se recostaram nas poltronas, começaram a tomar seus chás com torradas e elevaram a conversa para o nível do racional.
— Será que a Priscila não vem?
Priscila estava havia dias com uma terrível prisão de ventre. Na tentativa de livrar-se da barriga, tomara um Lacto-Purga e acabou ficando com uma diarreia irrefreável. Em consequência disso, não pôde ir ao encontro das amigas. Ligou avisando-as que seu carro havia quebrado.
— Mas pega um táxi, menina!
— Não dá, estou sem dinheiro e meu talão de cheques acabou.
— A gente paga aqui!

— Olha, Dora, já ficou muito tarde. Semana que vem eu vou.

As três amigas ficaram decepcionadas. Como é que Priscila pôde faltar justamente no dia em que elas tinham tantos assuntos para conversar?

Paulo saiu do banheiro de banho tomado. Cruzou com a histérica filha que se trancou lá dentro.

Essa menina vive com pressa!

Julinha se encheu de coragem, pegou uma gilete do avô e fez um pequeno corte no dedo. Caíram alguns pingos de sangue. Ela abriu o armário para procurar o Modess, seu maior parceiro na farsa que inventara. Mas, para sua decepção, não havia absorvente ali. Desesperada, sem saber onde colocar aquele pouquinho de sangue, Julinha acabou molhando um pouco de papel higiênico e pôs na calcinha, à guisa de "primeiras gotas".

— Boa noite!

Nada poderia ser mais estrangeiro naquele momento do que a entrada de Paulo naquela sala rósea. Sílvia quase deu um pulo na cadeira e, em seguida, baixou os olhos. Carla deu um sorriso amarelo para Dora, como se quisesse repreendê-la pela presença do marido.

— Amor, espera um minuto, nós estamos tendo uma conversa particular.

Paulo começou a sentir-se um rejeitado. Na repartição era acostumado a ser tratado a pães de ló, como merece uma autoridade. E em sua própria casa era enxotado por todos os cantos: do banheiro, do escritório — afinal, do seu escritório. Resolveu ir até a cozinha.

Ao perceber que estavam os dois a sós, Dalva baixou a cabeça e ruborizou. Suas mãos começaram a tremer. Ela cortou o dedo. Ele percebeu o nervosismo da empregada, fechou a porta discretamente e foi logo avisando.
— Dalva, por favor não fique assim. Aquilo foi um engano, combinado? Aquilo nunca deveria ter acontecido. Quer dizer, aquilo nunca aconteceu. Está certo? Está certo?
Dalva só pensava na calcinha branca.
— Fique certa, eu amo minha mulher. Eu estou feliz. Olha, não pense que faço isso sempre.
Dalva começou a despedaçar-se.
— Foi a primeira vez e foi um erro. Não foi um erro, Dalva?
Dalva não conseguiu responder. Não achava que tinha sido um erro. Bem que dona Dora poderia ir embora para sempre. Ele perceberia que ela era a mulher da vida dele, eles se casariam, ela deixaria de ser a empregada para ser a patroa e, juntos, viveriam aquela gravidez até o fim e envelheceriam vendo o Paulinho crescer até chegar à faculdade.
— Foi um erro ou não foi, Dalva?
Na sala, Carla resolveu abrir o jogo:
— Gente, vamos falar a verdade? Quem aqui ainda faz sexo?
— Bem, eu, às vezes.
— Eu também...
— Mas "às vezes" quando?
— Às vezes, um mês sim, um mês não.
Carla resolveu ser mais direta:

— Muito bem. Há quanto tempo você não faz sexo?
— Há uns dois meses — disse Dora.
— Há quase um ano — disse Sílvia, e recomeçou a choradeira.
— É isso o que eu digo: sem sexo, não há vida! Nós precisamos recuperar isso nos nossos casamentos.

Carla tentava remexer no assunto, mas todas sentiam que, sobre isso, era melhor calar. Sexo era uma coisa bonita de se ver no cinema, na TV, até nos livros, mas era coisa pra gente moça. A verdade é que nenhuma delas gostava de fazer sexo. Nem de falar no assunto.

Paulinha tocou a campainha. Julinha correu para atender. Sem cumprimentar ninguém, as duas subiram correndo para o quarto.

Na cozinha, patrão e empregada terminavam a conversinha aos sussurros.

— Foi um erro ou não foi, Dalva?

Dalva começou a chorar.

— Para com isso! Para com isso já!
— Desculpa, doutor Paulo. Desculpa.
— Eu vou sair por aquela porta e não quero nunca mais que você pense nessa história, entendeu bem?
— Sim, senhor, doutor Paulo.
— Tudo voltou a ser como era antes. Você me faz o suco de laranja, eu te pago o salário no fim do mês. Patrão e empregada. Está certo?
— Certo. Sim, senhor, doutor Paulo.
— Pode deixar que no Natal te dou algum por fora.

Paulo subiu as escadas e foi assistir ao *Jornal Nacional* com o pai.

— Quem ganhou o jogo?
— O Palmeiras.
— Desgraçados!
— Tão com um timaço!
— Tá virando a casaca?
— Não é isso, meu filho... Faz favor, pega os meus óculos aí no criado-mudo?

Na sala, Sílvia resolveu contar a verdade:
— Eu parei de menstruar.

Todas fingiram não estar a par do assunto.
— Como assim, Sílvia?

Sim, desde que o marido dela, o Silas, tinha se aposentado, ela começara a sentir calores, mal-estares, pressão alta. A menstruação foi rareando até que desapareceu. O ginecologista teve a coragem de lhe dizer na cara:
— A senhora não vai mais menstruar.

Ao contar o episódio para as amigas, Sílvia voltou a chorar, em suprema humilhação.
— Imagine a minha vergonha!

Dalva entrou no escritório de Paulo para recolher a bandeja. Ao ver a empregada, Dora soltou um breve: "Dalva, por favor!". Dito daquela maneira, o pedido soava como uma espécie de código, que poderia designar "sim", "não", "faça", "não faça", "esqueça", "lembre-se"... Dalva entendeu que, naquele caso, queria dizer: "Retire-se".
— Sim, senhora.

Dalva retirou-se com a certeza de que não iria suportar mais nada. Nem aquela vida, nem aquela mulher, nem aquele marido infiel, nem aquele velho

cagão, nem aquela filha fofoqueira. Pensou em pedir as contas e voltar para a Bahia com seu filho no ventre, mas sabia que não teria coragem, porque nem se lembrava mais se a Bahia ficava pra cima ou pra baixo. Então tomou sua resolução.
Essa noite vou tirar esse menino.
No quarto, Julinha conversava com a amiga. Falava que estava com cólicas terríveis, e Paulinha disse, finalmente, que ela também estava com cólicas.
— Mas não teve cólica no primeiro dia. Teve no segundo?
Meio sem graça, Paulinha respondeu:
— É...
Então Julinha resolveu pôr seu plano em ação.
— Vamos até o banheiro?
— Pra quê?
— Pra ver se o sangue não está borrando a calcinha!
— Não, o meu não está. Se quiser, vai você.
— Vamos comparar os sangues.
— Eu, hein? Que coisa mais nojenta, Julinha!
Paulinha não queria ir de jeito nenhum. Achou um absurdo aquela ideia da amiga. Julinha então ficou de mau humor e praticamente mandou Paulinha para aquele lugar.
— Acho melhor você ir. Daqui a pouco vai começar o Mingau no clube e eu tenho que me arrumar.
Paulinha saiu sem entender o que estava acontecendo, mas com uma certeza: aquela amizade estava começando a dar sinais de esclerose.
— Papai!

Paulo tentou segurar o pai, mas o velho caiu de uma vez.

— Dalva, pelo amor de Deus! O papai quebrou alguma coisa!

No desespero em que estavam, as três senhoras tiveram que findar seu claustro e subiram até o quarto de seu Onofre, que jazia gemendo no chão.

— Eu não presto pra mais nada.
— Calma, seu Onofre.
— Calma? Eu já tenho oitenta e oito anos. Você acha que tá na minha hora de quê? De viver? Não, minha filha. Tá na minha hora de morrer. Adeus, não digam que eu não me despedi!
— Dora, chama a ambulância.

E foi aquela correria, gente subindo e descendo, todos colaborando. Dora e Paulo foram com o velho, enquanto Dalva terminava de fazer o jantar. Julinha pensou em desistir do Mingau, mas acabou indo.

— Fratura na perna.

Seu Onofre foi para o hospital com o filho, onde foi engessado e voltou para casa de maca, a tempo de tomar sua canja. Já na penumbra da noite, foi reinstalado em sua velha cama, onde, num tremendo mau humor, só repetia:

— Eu quero morrer. Já tenho oitenta e oito anos. Não tá na minha hora?

Julinha voltou da festa, ansiosa.

— Cadê o vovô?

A neta subiu para o quarto do avô, que já estava dormindo. Encontrou seus pais de pijama, lendo na cama.

— E aí? E o vovô?

Paulo virou-lhe a cara.
— O que está acontecendo?
Paulo estourou.
— Como, o que está acontecendo? Seu avô vai pro hospital e você não pode deixar de ir nessa festa um dia?
— Desculpe, eu pensei que...
— Pensou nada! Sua imoral! Coração frio!
— Não exagera, Paulo! — defendeu a mãe.
— Coração negro! Isso, sim!
— Ela é uma criança!
Julinha saiu do quarto arrasada. *Criança? Criança é a vó. Eu já fiquei menstruada.*
Dora saiu de sua cama e foi até o quarto da filha.
— Não se preocupe, minha filha. O velho vai ficar bom.
— Que velho?
Julinha já nem se lembrava de que o avô existia. Ela estava interessada mesmo na veracidade da menarca da amiga.
— Mãe! Era mentira da Paulinha!
Mais uma vez, a mãe já não se lembrava a respeito do que Julinha falava.
— Era mentira o quê, minha filha?
— A Paulinha é uma falsa. Disse que já ficou, mas não ficou.
— Ah... Certo. Não ficou... Mas vai ficar...
— Antes de mim?
— Não... Minha filha, não sei. Olha, vou te dizer uma coisa: quanto mais tarde você ficar, mais tarde vai entrar na menopausa, e isso é ótimo!

— Você acha, mãe?
— Acho... Acho, não. Tenho certeza! Agora vamos dormir.
Dora foi para o quarto, deitou-se, mas não conseguia pegar no sono. Resolveu fumar um cigarro. Voltou a sentir os calores.
— A Sílvia, uma velha? Eu não acredito.
Paulo acabou de ler sua *Veja* e convidou a mulher para dormir com ele. Tentou, com algum dengo, fazer charme para ela.
— Joga esse cinzeiro pra lá.
Dora não queria ir. Queria ficar ali, acordada, saboreando a revelação de Sílvia. E, depois, queria aproveitar o horário para ficar um pouco sozinha no banheiro. Pode ser que tomasse um banho frio. Talvez a água aliviasse seu calor.
— Dora, há quanto tempo a gente não transa?
— Não sei, Paulo, por quê? Tá preocupado?
Aquele casal não via sexo havia mais de um ano. Mas ninguém estava preocupado.
— Dora, há quanto tempo a gente não transa?
— Não sei, Paulo, não sei!
— Pois devia saber. Nem parece que somos casados.

*

Dalva olhou-se no espelho e viu o ventre avantajado. O que mais sonhara em toda a sua vida era ser mãe de um menino. Pegou a agulha de tricô e a enfiou vagina adentro. Com a mão direita, começou a fazer voltas de maneira que arranhava toda a cavidade do útero. Quando viu as primeiras gotas de sangue caindo, achou que a operação estava dando certo. Deitou-se na cama e continuou a operação, em silêncio, quase sem sentir dor física. Por dentro, Dalva queimava.

Dora continuava com calor. Abanava-se enquanto sentia muita pena de Sílvia. *Como uma mulher que não tem filhos vai entrar na menopausa tão cedo? Certamente pela falta de uso!*

Dora não quis ir dormir com Paulo, que se sentiu um estranho em sua própria cama. Ela desceu até o escritório e tentou reconstruir a cena daquela tarde.

Paulo, por sua vez, recomeçou a punheta previamente interrompida.

Meu Deus, o que está acontecendo?

Paulo não estava entendendo mais nada. O que estava acontecendo com ele, um homem que sempre fora viril, sempre gostara de mulher, sempre se masturbara em perfeita ordem e, agora, aquilo!

— Dora, suba aqui imediatamente!

Dora entrou no quarto assustada. Paulo agarrou-a de maneira brusca.

— O que é isso, Paulo?

— Vamos trepar, Dora! Vamos trepar!

Mas Dora não queria trepar. Dora não se sentia mais apta a trepar. De certa maneira, nunca se sentira. E o que era aquilo agora? Um estupro, em pleno seio familiar?

— Me larga, Paulo! Me larga!

— Pela última vez, Dora, faz sexo comigo!

Dora saiu correndo do quarto. Seu Onofre acordou com a movimentação e berrou:
— Filho! Filho! O que está acontecendo?
Paulo entrou no quarto transtornado. Estava alucinado com aquela energia sexual presa havia horas, quiçá dias; ou, por que não ser honesto consigo próprio, anos.
— O que é, pai?
— Eu quero saber o que está acontecendo.
— Não está acontecendo nada, pai.
— E essa gritaria?
— Nada, pai. Vai dormir.
— Vem me dar um beijo, filho. Vem se despedir de mim.
Paulo, ainda muito nervoso, foi até a cama do pai e beijou-lhe a testa. Quando apagou a luz, o velho recomeçou:
— Paulo, adeus!
— Como assim, pai?
— Eu já estou com oitenta e oito anos, meu filho. Agora essa perna quebrada. Sabe o que é isso, Paulinho? Eu posso morrer a qualquer momento.
— Para com isso, pai.
Paulo deu outro beijo na testa do pai, apagou a luz e voltou para o quarto. Dora não estava mais lá. Irado, ele desceu as escadas correndo, foi até o escritório e disse:
— Dora, pela última vez, ou você sobe e trepa comigo agora, ou o nosso casamento está acabado!
— Paulo, a Sílvia já está na menopausa.

— Não vem com esse papo de feminismo que isso não me interessa! OU TRANSA COMIGO AGORA OU NOSSO CASAMENTO ESTÁ ACABADO!
— Como você é insensível!
— Você fala isso toda vez! TODA VEZ!
— Eu não quero, Paulo. Eu não quero!
— Você deve ter um amante! Não é possível, você nunca quer! NUNCA QUER!
— Paulo, deixa de ser estúpido!
— Estúpido? Por que todo mundo me chama de estúpido? Sexo é um direito!
— Paulo, não é assim.
— Como não é assim? A gente não é casado?
— É casado, Paulo.
— Então. Eu tenho direito ou não tenho?
— Tem, Paulo. Tem. Mas quando os dois querem.
— Dora, apaga esse cigarro e sobe comigo AGORA!
Dora não podia subir. Dora não podia mais ficar nua na frente do marido. E ele estava com uma ansiedade de impotente.
— O que é que está acontecendo com você?
— Sobe ou nosso casamento está acabado.
Dora fingiu que não ouviu. Levantou-se e foi até a cozinha beber água. Paulo subiu as escadas feito um búfalo. Andou pelo quarto como um gorila. Deu murros na parede como um urso.
— Merda de vida! Merda de vida!
Julinha, que já tinha caído no sono no quarto ao lado, acordou assustada com o barulho. O que estará acontecendo? Antes de levantar-se, averiguou se ainda

não tinha ficado menstruada. Não, ainda não. Então saiu do quarto e ouviu o barulho da televisão. Desceu para falar com a mãe. Mas a mãe não estava no escritório.

Do quarto, Dalva ainda pôde ouvir barulhos estranhos vindos de dentro. Imaginou que o casal estivesse fazendo sexo. Saía tanto sangue de dentro dela que o mundo começou a ficar gostoso. E nem ciúmes, nem raiva, nem humilhação, nem crueldade, nem fome, nem sede, nem morte, nada, nada, nada mais existia. Dalva recostou-se à cabeceira da cama delicadamente e começou a olhar o sangue que jorrava, como se olhasse uma lareira ou uma tempestade que cai. Em poucos instantes, estava cega. Depois ficou surda e só conseguia lembrar-se do gosto do cacau, que comia lá na Bahia, junto com suas irmãs, Dinalva e Dita. Onde andariam elas agora? Por último, Dalva ficou muda.

Julinha subiu as escadas devagar e ouviu barulhos estranhos. A mãe e o pai pareciam brigar de uma maneira mais angustiante do que dolorida. Bateu na porta.

— Mãe?
— Sim, filha...
— Vai dormir, Maria Júlia! — ordenou Paulo, que àquela altura já tentava a penetração na base do impulso pendular.
— Chega, Paulo. Não levanta! Não dá!

Dora pulou da cama e foi para o banheiro. A porta estava fechada mais uma vez.

— Julinha, filha, o que você tá fazendo aí?

Julinha estava se olhando no espelho. Abriu a porta e deixou a mãe entrar.

— Filha, vai dormir.

Julinha foi para o quarto. Dora trancou-se na solidão do banheiro. Seu marido era, enfim, um impotente. A mulher respirou fundo. Olhou pela janela e viu o guarda-noturno fumando calmamente seu cigarro na esquina. Pela primeira vez, notou os músculos de seus braços. O guarda-noturno era um homem forte. Observou-o por alguns minutos. Ele apagou o cigarro, levantou-se e saiu. Dora fechou a janela e sentiu sua calcinha molhada. Sentou na privada. Sangue. Dora sorriu. Talvez fosse a última vez. Mas ainda estava viva. Tomou sua decisão.

Amanhã vou embora. Vou morar no Rio de Janeiro.

No quarto, Paulo virava na cama de um lado para o outro, fazendo contas na cabeça.

Já tenho dinheiro. Já fiz tudo o que eu podia fazer. Preciso dar atenção pras minhas meninas. Amanhã peço minha aposentadoria. Mês que vem, tô em casa.

No quarto ao lado, Julinha sonhava com a mocidade, enquanto seu Onofre rezava no escuro. Nos fundos, a mulher que mais amou, morria.

4 de fevereiro de 1994

5
procurando pelo em ovo

Zezé espalhou a cera quente por toda a perna esquerda de Luciana, que tensionou o corpo e, com as mãos suadas, ficou esperando o golpe fatal. A depiladora, então — e de uma só vez — arrancou praticamente todos os pelos pretos da sua canela esquerda. Feito o serviço, Zezé deu um sorriso sarcástico e perguntou:
— E aí? Doeu?
— SE DOEU!?!
— Não faz fita, vai, Luciana.
— Não faz fita? Você fala isso porque tem essa penugenzinha de nada, mas olha a minha perna! Imagina o que não dói.
— Xi, minha filha! Isso não é nada! Pense o que não sofre um travesti!
Luciana não gostou da comparação. Está certo que

ela era peluda — diria, até, bem peluda — mas compará-la a um travesti já era exagero. Alheia ao sofrimento da cliente, Zezé molhou a espátula de madeira na cera escaldante. Em seguida, besuntou toda a canela de Luciana, que mais uma vez se retesou de pânico e dor.

— Quer que eu arranque da virilha?
— DA VIRILHA, NÃO! PELO AMOR DE DEUS!
— Vamos lá, Luciana. É uma batidinha só.

Luciana já foi se levantando, antes que Zezé, num golpe ousado, fosse passando a cera em locais não autorizados.

— Batidinha só, nada! Já te falei: na virilha eu raspo.

Zezé ficou totalmente indignada com a declaração da cliente. Como profissional e como mulher, ela era absolutamente contra o uso inadvertido da gilete.

— Ah, Luciaaaaana. Não acredito! Raspar!? Você vai ficar que nem homem.
— Não tô nem aí. Ó, quer saber? Eu já faço sacrifício suficiente depilando essa merda de perna de quinze em quinze dias. Agora virilha e sovaco, jamais.
— Olha o que eu tô te falando, Luciana. É uma batidinha só. Homem não gosta de passar a mão em virilha cabeluda.
— Zezé, eu já falei. Quanto é? — respondeu Luciana, tentando encerrar o assunto e evitar que prosseguisse essa sessão de tortura. — Quanto é?

Luciana deixou a gorjeta no bolso de Zezé e escapou.

Apesar do trauma recente, passeou pelo salão do Instituto de Beleza Ma Belle com sensação de alívio.

— Hoje mesmo eu coloco a minissaia verde.

No caixa, porém, Luciana notou que as pernas dela estavam se enchendo de bolinhas vermelhas.
— É irritação da pele — disse Corina, a caixa.
— Como assim? — perguntou Luciana, indignada.
— Assim mesmo. Irritação da pele. Amanhã passa.
— AMANHÃ? Mas é hoje que eu vou sair com o Paulinho Barbosa!

Corina aconselhou Luciana a passar pomada Hipoglós assim que chegasse em casa.
— Se não funcionar, apela pra meia de seda.

Luciana aceitou o conselho, pagou o serviço e foi embora, macambúzia. Enquanto isso, lá no fundo, Zezé já derretia a cera para a cliente seguinte, a famosa dona Alzira. Ela era uma das freguesas mais comentadas pelas profissionais do salão Ma Belle, não só por distribuir polpudas gorjetas, mas, principalmente, porque era uma das poucas clientes que faziam o "serviço completo".
— E como vai a senhorita, Zezé?
— Tudo bem, e a senhora, dona Alzira? Como foi de feriado?

Alzira explicou que, apesar do tempo maravilhoso, a viagem ao Guarujá tinha sido um pequeno desastre, pois descobrira que a caseira que trabalhava para ela havia onze anos roubava mantimentos na ausência da patroa.
— Vê se pode, Zezé! A gente confia, deixa a chave da nossa casa... Fui até madrinha do pequeno dela... E agora a gente descobre, onze anos depois — eu disse ONZE ANOS —, que ela me roubava!
— E como a senhora descobriu?

— Por sorte, minha filha, por sorte. Senão, era capaz de eu ficar mais onze anos sustentando aquela ladra.

Enquanto desabotoava o vestido, revelando toda a sua flacidez, Alzira narrou o acontecido.

— Eu bem que estava notando. Eu comprava o café e, no fim de semana seguinte, o café tinha acabado. Daí eu perguntava: "Ô Dileia, já acabou o café?". E ela dizia: "Pois é, né, dona Alzira, veio muita visita". E eu acreditava. Depois, eu comprava açúcar, farinha... E cadê o açúcar? A farinha? Olha, eu devia ter desconfiado, mas não desconfiei... Onze anos!

Zezé terminou de colocar um papel novo na mesa de depilação, e Alzira, praticamente nua, deitou-se, sem parar de falar um segundo.

— Daí, no último fim de semana, você imagina, o nosso telefone quebrou e eu não pude avisar que nós iríamos na quinta-feira à noite, em vez de ir na sexta de manhã, como é o habitual. E quando chegamos, o que vejo? Como ela deu azar, coitada. Ela tava indo embora justamente naquele minuto, com minha sacola de praia totalmente lotada de coisas. Olha, eu vou te falar, quando eu vi aquilo, meu sangue ferveu, viu!? Daí eu falei pra ela: "Ô Dileia, o que é isso que você tem aí?". Aí, é claro, ela tentou disfarçar, mas eu não tive dúvidas e pedi pra ela me mostrar. Ela começou a tremer e a chorar. Menina, quando eu abri a bolsa dela, tinha resto de comida, açúcar, sabão em pó. Ó, tinha o escambau!

— E aí? O que a senhora fez?

— Bom, não tive dúvidas. Despedi a mulher na

hora. Coitada, com o filhinho no colo. E aí foi que começou minha desgraça.

Zezé percebeu que a conversa ia longe e resolveu começar o serviço. Alzira, ao contrário de Luciana, era desse tipo de cliente que não ligava a mínima para as dores da depilação. Fazia aquele ritual havia tantos anos, que nem sentia mais os puxões por todo o corpo.

— Bom, você imagina? Eu chegando no Guarujá com o Freitas, a Luli e o meu genro, marido dela, na véspera de feriado, sem ter ninguém pra me ajudar. Menina, trabalhei o fim de semana inteiro que nem uma burra de carga. Tive que cozinhar na sexta, no sábado, mas no domingo, ó, eu cheguei pro Freitas e falei: "Ô meu bem, por que a gente não almoça no Lula Lelé, que é um restaurante ótimo que tem na praia de Fortaleza. Huummm... Menina, tem cada lula. Tem lula frita, lula a doré, lula com molho de camarão, lula a alho e óleo. Você gosta de lula?

Zezé nunca tinha comido lula. Mas não gostava de ficar por baixo, por isso mentiu.

— Só comi uma vez.

— Hum! Olha, vou te dizer! Hoje em dia, eu gosto mais de lula do que de camarão. Não sei, é mais suave, parece.

Zezé percebeu que Alzira estava com muitos pelos encravados.

— O que está acontecendo com a senhora?

Alzira também não estava entendendo o motivo daquela quantidade de pelos submersos.

— Vai ver que é a idade.

Zezé acabou de depilar a parte da frente das duas

pernas de Alzira e começou a espremer com os dedos e a puxar com uma pinça os pelos encravados da cliente.

— Agora vira.

Alzira virou-se de costas para que Zezé arrancasse os pelos da parte de trás das canelas e das coxas. A velha turca tinha engordado muito nos últimos tempos. Uma só perna dela chegava a ser mais grossa do que a cintura de Zezé. Ao notar esse fato, a depiladora se utilizou do poder inerente ao seu cargo e também do seu status de magra para, mais uma vez, botar o dedo na ferida da velha sem nenhuma anestesia.

— A senhora engordou, né, dona Alzira?

A cliente ficou com ódio mortal da depiladora e preferiu fingir que não ouviu.

Por que raios esta besta vive dizendo que eu engordei? Quem ela pensa que é?

Do alto de seus meros quarenta e nove quilos, Zezé insistiu no inquérito.

— E então? Engordou ou não engordou?

Alzira sabia muito bem que tinha engordado de cinco a sete quilos nos últimos dois meses, pois não cabia mais em nenhuma das roupas que tinha comprado depois do último regime.

— Acho que engordei.

— Acha? Nossa! A senhora pode ter certeza. Engordou mesmo. Olha a grossura das suas coxas...

Alzira perdeu completamente o rebolado. O peso sempre tinha sido um problema em sua vida. Desde jovem, tinha enorme facilidade para engordar, e, apesar de toda a sua família tender para a obesidade, Alzira jamais aceitou tal fato tranquilamente, insistindo em dietas variadas, na esperança de um dia ter um corpo mignon, como o de Zezé e de tantas outras.

— Você acha?

— Tenho certeza, dona Alzira. O que a senhora andou fazendo? Comendo muito doce?

— É... Teve a Páscoa, né? Ganhei muito chocolate, sabe como é...

— Toma cuidado, viu, dona Alzira; homem não gosta de mulher gorda.

A cliente decidiu mudar de assunto, antes que pulasse na jugular daquela magrela sem coração.

— E o seu marido, como vai?

Zezé contou que, graças a Deus, as coisas estavam melhorando na vida deles. Edmundo tinha finalmente se estabilizado em um bom emprego. Estava trabalhando como motorista particular para um doutor muito rico e generoso.

— Ele está financiando nosso apartamento!

Alzira ficou impressionada com a bondade do tal doutor e quis saber o que ele fazia.

— Tem um monte de firma espalhada por aí.

— Mas qual é a área dele?

— Pra te falar a verdade, eu não sei. Sei que é rico à beça.

— E a troco de quê ele resolveu financiar o apartamento pra vocês?

— A troco de bondade. Ele gosta do serviço do meu marido. Meu marido é muito bom pra ele. Chega todo dia no horário, faz tudo o que ele pede, busca papel, leva papel, vai na tinturaria, passa na quitanda, dá um pulo na farmácia. Sabe, ele é um homem sozinho, não tem família, se apegou à gente.

— Qual o nome dele?

— Doutor Nelson.

— Nelson de quê?

— Ah, dona Alzira, aí a senhora me pegou. E então, vai depilar a barriga hoje?

Alzira disse que hoje queria fazer o serviço completo. Além da barriga, ia depilar também os braços, a virilha, as axilas, o buço e o ânus.

— É fogo, viu, Zezé? Mulher de origem turca como eu tem pelo até na boca!

Zezé foi até a cozinha esquentar mais cera, para que a cliente alcançasse a sonhada feminilidade.

— É assim que eu gosto, dona Alzira. De mulher limpa. Ó, vou te falar. Ainda agorinha saiu daqui uma menina, a Luciana, uma jovem que tem horror de depilação. A senhora não sabe, ela tem um pelo grosso e duro assim, ó. Só que ela depila a perna e o buço e não quer saber de fazer nem axila, nem virilha, nem barriga. Eu já disse pra ela que homem não gosta de passar a mão em mulher cabeluda, mas ela insiste em usar gilete. Tem cabimento uma coisa dessa!?

— É essa juventude, viu? Não sabem mais distinguir o joio do trigo!

— Pode virar.

Alzira tirou a calcinha e sentou na mesa de depilação com a bunda levantada para o teto. Zezé pegou um pouco da cera na espátula, separou as duas nádegas da cliente com a mão esquerda e, com a mão direita, espalhou a cera quente por toda a região do ânus.

— Não dói, não?

Alzira estava acostumada a se depilar nos lugares mais estranhos. No começo, ela sentia vergonha de, digamos, mostrar o rabo para qualquer depiladora, mas, desde que tinha se acertado no salão Ma Belle, nem esse constrangimento passava mais.

— Já me acostumei.

Zezé é que não se acostumava a depilar ânus. Está certo que Alzira fosse uma mulher extremamente limpa e asseada, e apesar de sua bunda não exalar nenhum cheiro duvidoso, ainda assim a visão daquela senhora arreganhada não era das mais estimulantes.

— Posso puxar?

Alzira deu a autorização, e Zezé, de uma só vez, arrancou toda a cera do roxo ânus da cliente. Depois mostrou para ela o pequeno chumaço de pelos crespos, grudados no papel celofane.

— Nossa, parece até barba de velho!

Realmente. O pelo do ânus de Alzira, além de crespo, era grisalho e falho.

— Agora faz o buço.

Zezé passou a cera em volta da boca de Alzira e arrancou todas as penugens de sua face. Depois, a cliente vestiu a roupa, agradeceu e colocou uma nota de dez no seu bolso. Despediu-se de todos e se foi, com toda a pompa, para seu carro importado com chofer uniformizado.

— Até quinta que vem!

Quando a velha gorda se foi, as outras depiladoras correram até o quartinho de Zezé, querendo saber os detalhes da "depilação completa".

— O cu dela parece um olho de boi agonizante!

As quatro se regozijaram em gargalhadas por alguns minutos. Depois voltaram para o serviço. Zezé foi até o murinho da cozinha, onde começou a fumar um Hollywood, mas foi interrompida por mais uma cliente.

Saco! Será que eu não vou conseguir fumar nem um cigarrinho até o fim!?

Nerilda, uma jovem recém-casada, já a aguardava na maca de depilação. Zezé entrou no quarto de mau humor. Não gostava de cliente nova.

— Veio fazer o quê?

— Meia perna — disse a cliente.

— Meia perna?

Por essa, a depiladora não esperava. Zezé simplesmente DETESTAVA fazer só meia perna. Não achava que o resultado fosse estético.

— Tem certeza? Vai ficar com aquela bermuda de pelo?

Nerilda ficou um pouco constrangida com a imagem construída pela depiladora, mas resistiu.

— Só. Eu só faço meia perna.

O que ela não sabia é que Zezé não desistiria tão facilmente.

— Minha filha, você não sabe que homem detesta passar a mão numa mulher cabeluda?

Talvez por vergonha, Nerilda começou a vacilar.

— Mas você tem certeza que na coxa não dói muito?

Zezé explicou que, nas coxas, doía menos do que nas canelas, porque os pelos eram mais fracos e em menor quantidade.

— Tudo bem. Vou experimentar.

— Você vai ver. Seu marido vai adorar. Eles podem não falar, mas você pode ter certeza: homem detesta passar a mão em mulher cabeluda.

Nerilda deitou na mesa, temerosa. Por causa dos pelos grossos, também era do tipo sensível à depilação, principalmente quando estava menstruada.

— Mas por que veio justo hoje? Você não sabe que, nesses dias, dói muito mais?

Enquanto cliente e depiladora conversavam sobre os melhores períodos para a arrancada dos pelos, entrou no cubículo Teresa, uma velha cliente do salão. Adiantada para a sua hora, Teresa entrou de sola na conversa das duas, com aquela intimidade automática que as mulheres adquirem em salões de beleza.

— Você está errada, Zezé. Eu li num livro de medicina indiana que os pelos demoram muito mais pra crescer se a depilação é feita durante a menstruação.

— Mais que dói mais, isso dói.

— Bom, mas vale a pena.

Nerilda, que na verdade ia até o salão quando podia, ouvia aquelas opiniões contraditórias sem se importar muito com elas.

— Eu venho quando dá.

E a celeuma acabou. Zezé continuou a fazer o seu serviço. Teresa começou a folhear uma velha *Contigo*. Ela adorava olhar aquelas revistas sobre televisão, sempre ávida pela desgraça alheia. Zezé adorava Teresa, em especial pelo gosto dela por sangue.

— Essa gente é tudo assim: "Por fora, bela viola; por dentro, pão bolorento". Você não viu a Vera Fischer? Linda daquele jeito, três facadas no marido... Pode uma coisa dessa?

— Também... Foi casar, com homem mais moço... Isso nunca deu certo. Você não viu aquela... Como ela chama? Lucinha Duval?

— Dorinha.

— Isso! Dorinha Duval. Coitada... Era tão linda antigamente...

— Difícil de acreditar...

Nerilda, que era uma feliz recém-casada, não conseguiu se sintonizar na conversa e, assim que se viu com as pernas totalmente lisas, levantou-se e foi embora feliz da vida. No fim, nem doeu tanto. Zezé não lhe poupou comentários.

— Fresca ela, não?

— Metida a besta!

— Se não fosse eu insistir pra ela fazer a perna inteira, ainda tinha saído com aquela bermuda horrorosa de pelo! Tem mulher que é burra, viu! Até parece que não sabe que homem detesta mulher peluda.

— Até parece.

Zezé pediu licença e voltou à cozinha para esquentar a cera novamente. Aproveitou para dar uma passeada pelo salão, onde cumprimentou algumas senhoras e encontrou Maria Clara, com os cabelos recém-cortados.

— O que é isso, menina? Cortou tudo?

Maria Clara, que ainda estava insegura com o novo penteado, perguntou ansiosa:
— E então? Gostou?
Zezé não podia ouvir uma pergunta ansiosa daquelas. Sentia uma irresistível vontade de humilhar as clientes.
— Gostei. Ficou bom. Igualzinho a uma vassoura de piaçava. HAHAHAHAHA!
— Para de brincadeira, vai, Zezé!
— Não se preocupa, não, minha filha. Cabelo cresce.
Com um sorriso de vitória na boca, Zezé foi para a cozinha esquentar a cera pela trigésima segunda vez no dia. Maria Clara, quase aos prantos, foi até o espelho conferir os comentários de Zezé.
— Será que ela tava falando sério?
Maria Clara tinha demorado exatos dois anos para tomar coragem para cortar as longas madeixas que cultivara desde criança. Depois de levar o fora de um namorado, acabou marcando uma data, dois dias antes do casamento de sua prima. Precisava se sentir renovada. Apesar de ter gostado do corte, ainda se sentia insegura, e aquela brincadeira de Zezé tinha caído como uma pedra em sua vaidade. Não aguentou e seguiu a depiladora até a cozinha.
— Zezé, fala sério. Você gostou ou não gostou?
— Xi, menina. Larga de besteira. Não vê que eu tô brincando? Desencana! Homem não gosta de mulher insegura, hein?
Sentindo-se cada vez mais poderosa, Zezé atacou:
— Agora esse buço não tá bom, não.

Maria Clara novamente olhou-se no espelho. Dessa vez, ela teve de concordar com a depiladora.

— Tudo bem. Você tira pra mim?

Zezé foi para a sala de depilação, onde Teresa a esperava, já praticamente nua. Maria Clara foi atrás, com a cabeça baixa.

— Ô, Teresa, você não se importa se eu tirar primeiro o buço dessa menina aqui? É rapidinho.

Teresa autorizou a manobra. Zezé passou a cera em cima da boca de Maria Clara e, num só golpe, arrancou todos os pelos.

— AAAAIIII!

— Para de frescura, hein, Maria Clara! Não tá querendo arranjar namorado? Então! Tem que se cuidar!

Maria Clara tinha apenas dezesseis anos e era uma iniciante por ali. Apesar de seus pelos serem louros e fracos, ainda sentia dor cada vez que depilava qualquer parte do corpo.

— Não liga, não. Um dia você acostuma.

A menina foi embora angustiada. Zezé, satisfeita, começou a fazer o serviço em Teresa, que, a essa altura da vida, não tinha mais do que uma leve penugem nas pernas.

— Credo, Teresa. Daqui a pouco você não vai nem precisar vir mais aqui.

— É, menina. Também depois de vinte anos arrancando, acho que os pelos desistiram.

— É o que eu sempre digo, viu! Depilação acaba com os pelos, mas tem mulher que prefere raspar.

— Não dá pra acreditar.

Zezé passou a cera em toda a perna de Teresa de uma só vez.

— Ai, como era bom se todas as clientes fossem como a senhora.

— Você, Zezé! Você!

Então as duas conversaram mais um pouco, comentando o estado das atrizes das novelas da Globo. O sucesso de umas e o declínio das outras (Bem mais sobre o declínio das outras). Depois falaram sobre os casamentos das mocinhas do salão e chegaram à conclusão de que ninguém ali era realmente feliz.

— São todas umas fingidas.

Zezé deu gargalhadas. Gostava de atender Teresa justamente por causa do humor ácido dela.

— E o Edmundo? Como vai?

Zezé contou mais uma vez sobre a infinita generosidade do doutor Nelson, que estava financiando o apartamento para eles.

— Taí um homem bom.

Teresa, que era divorciada, começou a fantasiar com um homem igualmente bom e rico.

— Já tava em tempo, hein, Zezé?

— Ô, se tava. Pode virar!

Teresa virou-se de costas, e Zezé arrancou os últimos pelinhos. Depois, pegou a pinça e arrematou o serviço.

— E esse Nelson, é solteiro?

— Viúvo.

— Quarentão?

— Cinquentão.

— Ainda presta?
— Não quer fazer o buço?
Teresa praticamente não tinha buço, mas para se sentir bem feminina, acabou aceitando a sugestão.
— Presta ou não presta?
— Dinheiro ele tem. Mas é muito peludo.
— Ah, não! Velho e peludo nem por um milhão de dólares!
Zezé mais uma vez gargalhou. Ali estava uma boa cliente. Não tinha muito pelo, mas sabia conversar.
— Você, hein, Teresa! Não se ajeita!
Sentindo-se limpa e higiênica, Teresa foi embora. Antes, é claro, deu outra nota de cem para Zezé, que ficou agradecida.
— Obrigado, hein? Quando você volta?
— Mês que vem eu tô aí.
Zezé olhou no caderno e viu que não tinha nenhuma cliente marcada. Resolveu subir até o salão para ver se conseguia terminar de fumar o seu Hollywood.
— Tá de papo pro ar, Zezé? — perguntou Idalina, a dona do salão.
Zezé não quis acreditar que teria de apagar o cigarro no meio de novo.
— Por quê?
— Se você tiver sem cliente, eu gostaria que você arrancasse uns pelinhos pra mim...
Estava aí uma coisa que Zezé detestava fazer: atender a patroa. Em primeiro lugar, porque não ganhava nada com isso; em segundo, porque Idalina tinha pelos nos lugares mais difíceis e inusitados, como nos bicos

dos seios, na barriga, no queixo e nos dedos dos pés.

— Tudo bem, vamos lá.

Zezé deu uma tragada longa e, em seguida, jogou longe o seu Hollywood, quase inteiro. Depois, seguiu Idalina até o quartinho dos fundos. A patroa foi logo tirando a blusa e o sutiã, sem a menor cerimônia. Zezé viu aqueles seios caídos, com os bicos rodeados por poucos e longos pelos pretos.

— Quero tirar esses aqui. Não tô nem podendo aparecer na frente do Irani com esses bigodes.

Zezé perguntou se ela queria tirar os parcos pelos com cera ou com pinça.

— Com pinça é melhor, não acha?

Zezé pegou uma pinça zero-quilômetro e começou a arrancar os pelos dos bicos do seio da patroa. Eram poucos. Deviam ser uns sete ou oito de cada lado. Mas como eram grandes! Mediam mais de um centímetro cada um.

— Nossa, dona Idalina, por que a senhora não faz depilação definitiva? Isso é muito feio! Homem detesta mulher peluda, quanto mais no seio!

— E você pensa que eu já não fiz? Xi... menina! Dói que é um horror! E pior: não adianta nada!

Bateu quatro e meia da tarde, e logo chegaram Yara e Yolanda, as gêmeas da rua de trás. Apesar da pouca idade — treze anos incompletos —, as duas já tinham todo o jargão do salão e sentiam-se muito à vontade com todo aquele ambiente envolvendo pelos, bobes e esmaltes.

— Hoje eu quero fazer serviço completo.

Zezé se assustou, pensando que também as meninas estavam pensando em depilar as partes íntimas.

— Mas o que você quer dizer com "serviço completo"?

— Perna inteira, buço, virilha e axilas. A gente vai pra Bahia no fim de semana que vem!

A incansável depiladora aliviou-se. Manusear dois cus no mesmo dia não estava em seus planos. Então, e mais uma vez, Zezé foi até a cozinha e esquentou a cera depilatória. Depois trocou o papel da mesa de depilação e começou o serviço. Como as gêmeas eram caladas, ela foi obrigada a trabalhar em silêncio.

— Quantos pelos será que existem numa perna de mulher? Mil? Dois mil? Cem mil? Mil milhões?

Apesar de trabalhar com isso havia quase dez anos, Zezé não tinha a menor ideia da resposta. Só sabia que os pelos eram um dos maiores inimigos da mulher.

— Quem sabe um dia não inventam um creme, um líquido qualquer que mate os pelos pra sempre? — perguntou Yolanda, a gêmea mais gordinha.

Zezé não gostou da pergunta.

— E então? Eu ia ficar sem emprego? Nossa, que frescura, Yolanda! Vai dizer que dói!?

Yolanda disse que não doía. Para ela, ir ao salão era uma espécie de privilégio, dado somente às mulheres de fato. Sentia orgulho de estar ali, compartilhando de todos aqueles problemas femininos e, por isso, não gostava de dizer que sentia dores horríveis cada vez que a depiladora puxava a cera quente com força e crueldade.

— Ainda bem! Homem odeia mulher peluda! — repetia Zezé, como se tivesse uma única hipótese para justificar seu trabalho.

Quando as gêmeas saíram, Zezé voltou ao murinho, na tentativa de fumar até o fim o seu cigarro. Mas, assim que ela deu a primeira tragada, foi chamada por Idalina para atender justamente Natália, a cliente mais antipática do salão.

— Já vou.

Totalmente irada, Zezé mais uma vez deu uma longa tragada no seu Hollywood, antes de atirá-lo para longe, em direção ao terreno do vizinho. Só que, dessa vez, ela praticamente se foi junto com a bituca. Assim que o toco de cigarro saiu voando, a depiladora desmaiou e caiu no chão, como manga madura. Idalina, que viu a cena de longe, veio correndo ajudar sua funcionária, que continuava estatelada no chão de cimento, com os olhos abertos e a respiração resfolegante.

— ME AJUDEM AQUI!

Logo as funcionárias e todas as clientes do Ma Belle estavam em volta da depiladora caída, sem saber o que fazer.

— Fuma tanto que dá nisso.

Enquanto Idalina tentava chamar uma ambulância, Selma, uma cliente que estava lá para tirar as sobrancelhas, se ofereceu para levar Zezé ao consultório de seu cunhado, o doutor Gustavo de Gusmão. Antes que a mulherada conseguisse erguer o corpo de Zezé, ela acordou. E levou um susto.

— Gente! O que é isso!?

Todo mundo se aliviou ao ver que Zezé estava

bem. Logo a rotina do salão voltou ao normal. Mas Idalina ficou preocupada com a saúde da empregada e achou melhor dispensá-la naquele dia.

— Vai embora, Zezé. Você já trabalhou demais por hoje.

— Mas e as clientes?

— A gente dá um jeito!

Zezé estava tão constrangida com o seu próprio desfalecimento que aceitou ir embora, apesar de detestar chegar em casa antes do cair da tarde.

— Toma aqui o dinheiro do táxi.

Zezé saiu do salão calada. Na avenida mais próxima, tomou um táxi. Dentro do Fusca, ela começou a apreciar o movimento das ruas. Esqueceu-se de acender um cigarro. Adormeceu.

Então Zezé teve um pesadelo. Um pesadelo hediondo. Ela estava dentro de um táxi, olhando o movimento dos carros e, de repente, ela olhava e ela via. Num descuido, talvez do seu próprio inconsciente, o mundo começava a ser horrível e irremediavelmente invadido por toda a sorte de pelos, bigodes, penugens e pentelhos. Do asfalto, começavam a crescer longos e tenebrosos fios negros de cabelos lisos. Dos carros, pululavam cabeleiras crespas, loiras e morenas. Dos postes, pendiam verdadeiras madeixas de Rapunzel. Até as imaculadas nuvens brancas se transformaram em leoas despenteadas.

Zezé assistia a essa metamorfose da cidade com um misto de pânico e de excitação. Pânico, porque São Paulo estava se transformando num verdadeiro lobisomem. Excitação, porque naturalmente caberia à Zezé e às colegas dela a tarefa de salvar a cidade do caos capilar. Nessa hora o sonho deixava de ser um pesadelo para se transformar num sonho de heroísmo e glória. Porque, desse momento em diante, Zezé e suas amigas, unidas em um grande mutirão estético, saíam pelas ruas depilando os grandes marcos da cidade. E assim, sob aplausos frenéticos da população enojada, o obelisco do Ibirapuera, o Pátio do Colégio, o vão do Masp e a Praça da Sé eram depilados pelo exército de Zezé. E em menos de dois dias a cidade voltava a ser careca e limpa, como tinha de ser.

Então, numa cerimônia ilustre, Zezé e seu grupo ganhavam das mãos do próprio prefeito, o ilustríssimo senhor Paulo Maluf, a chave de ouro da cidade. E lá estava ela, vivendo o seu momento máximo quando...

— Acorda, moça! Chegamos.

Zezé acordou atarantada. Deu uma nota de cinquenta para o homem e foi embora sem esperar o troco. Correu para o seu bloco e apertou o botão do elevador. Quando pôs a chave na fechadura do apartamento, ouviu vozes vindas do quarto do casal.

— Graças a Deus, o Edmundo já chegou!

Zezé jogou a bolsa em cima do sofá e saiu correndo para o seu quarto. Queria contar para o marido sobre o vexame de seu desmaio, mas, principalmente, queria contar para ele sobre o seu estranho sonho capilar, antes que ele se desvanecesse. Ansiosa, ela meteu a mão na maçaneta do quarto.

— EDMUN...

Zezé podia esperar tudo. Podia esperar até mesmo a morte. Mas nunca imaginaria encontrar o seu marido nu, abraçado ao corpo peludo do seu patrão e benfeitor, o doutor Nelson.

— DINHOOOOOOOOO!

Em um único golpe, Zezé perdeu o marido, o apartamento e as esperanças.

Na semana seguinte voltou ao salão Ma Belle. Sem maiores explicações, pediu à dona do salão que a transferisse do setor de depilação para lavagem de cabelos ou mesmo para o caixa. Nunca mais se lembrou de falar da vida dos outros. Em poucos meses, parou de fumar.

8 de abril de 1994

6
padecendo no paraíso

PARTE 1 - O nono mês

Cheguei ao consultório atrasada. Que diferença faz? Esse médico está sempre atrasado mesmo. Duas horas no mínimo! E o pior é que as revistas são velhas. E poucas. Nunca há o que fazer. E eu acabo dormindo na sala da espera, de boca aberta, na frente de todo mundo. Toda vez é esse vexame. Toda vez! Dizem que ele atrasa porque toda hora ele dá um pulinho ali no hospital para fazer um parto.

— Olá, como vai? Espera um minutinho. Vou parir um par de gêmeos. Volto já, já.

Eu não acredito. Pra mim, o que ele quer é ficar rico às custas de nossa paciência. Vê se pode! Atender três pacientes ao mesmo tempo. Três salas. Três pacientes ao mesmo tempo! É por isso que está sempre atrasado.

E, como está sempre atrasado, nunca tem tempo pra nada. Não responde uma só pergunta. Deixa a gente na santa ignorância. Mas a gente confia. Afinal, dizem que ele já fez doze mil partos. Se fez doze mil partos, já viu de tudo nessa vida. Deve saber. A única coisa que ele não sabe é que eu nunca tive um parto. Esse é meu primeiro filho, e eu não gosto que ele atenda três mulheres ao mesmo tempo. É por isso que demoro. É por isso que sempre chego atrasada. Porque não faz a menor diferença.

— Maria Júlia, vamos pesar?

Ah, não! Essa eu não quero ouvir. Por essa eu não quero passar. Será que essa mulher é insensível? Será que ela não percebe que eu estou tão gorda que não faz mais diferença? O pior é que ela percebe. Manda a gente se pesar de roupa, sapato e nem desconta o peso do pano. Há nove meses vem notando essa escalada vertiginosa. Notando e anotando. Ela anotou cada quilo, cada estria, cada celulite acumulada no meu corpo, com sua canetinha maquiavélica. Bruxa! Bruxa! Parece que ela quer me ver cada vez mais gorda e mais feia, só pra ela poder dizer: "Nossa, mas você engordou, hein?". Só pra ela poder se sentir superior. Ela pensa que eu não sei, mas a coisa que ela mais gosta de fazer dentro desse consultório é anotar o peso das clientes subindo a ladeira. Esse é o sentido desse emprego pra ela. É por isso, e só por isso, que ela não pede demissão. Para disfarçar o tamanho da própria bunda, desgraçada! Eu não quero mais me pesar! Eu não vou mais me pesar. Qualquer hora eu vou dizer para ela:

— Não peso. Não vou pesar. Bota aí. Peso: pesado. E pronto.

Meu Deus! Bem que me avisaram quando eu ainda era uma mulher normal que eu fizesse regime. Me lembro daquela festa. A mulher se sentou do meu lado e falou:

— Vou te dar o endereço do Vigilantes do Peso. Gravidez é foda.

Ora, eu gargalhei. Aquela grã-fina não sabia que eu não ia engordar. Primeiro porque sempre fui magra e nunca precisei fazer regime. Segundo e, principalmente, porque eu estava feliz, porque ter um filho era meu maior desejo e porque eu me sentia tão plena e tão feminina que engordaria muito pouco ou quase nada; e, quando chegasse no nono mês, eu seria uma daquelas beldades longilíneas, lindas e simplesmente barrigudinhas.

— Noventa quilos.

Mas não é possível! Eu nunca passei dos sessenta quilos! Deve ser o bebê. Só pode ser o bebê. O bebê, uns cinco quilos. De placenta, mais uns três. De bolsa, pelo menos uns cinco. Do inchaço, mais uns sete. Deixa eu fazer as contas. Eu calculo que, no dia do parto, devo perder aí pelos menos uns vinte quilos. Então vou sair da maternidade com o meu lindo bebê no colo, bela, magra e feliz, e vou esquecer da cara dessa bruxa pro resto da minha vida.

— Maria Júlia.

— Maria Júlia!

— MARIA JÚLIA!

Por que raios eu sempre durmo nessa merda dessa sala de espera? Só pra todo mundo ver a minha boca aberta, as minhas pernas abertas e, pior, o meu ronco de gorda? Também, porra!, por que esse idiota desse médico demora tanto pra atender a gente? Será verdade que ele já fez doze mil partos? Será que isso não é exagero? Deixa eu fazer as contas. Ele tem uns sessenta anos. Vamos supor que esteja fazendo parto desde os vinte. Nesse caso, são quarenta anos parindo. Quarenta anos. Doze meses vezes quarenta... Isso dá, vamos ver, quatrocentos e oitenta meses. Doze mil dividido por quatrocentos e oitenta dá... peraí. Pra fazer essa eu preciso de um papel. Um momento: vinte e cinco! Vinte e cinco partos por mês. Ora! O pior é que é possível! Vinte e cinco partos por mês é um número possível.

— Pode se sentar. O doutor Hansen já vem.

O doutor Hansen... O doutor Hansen... Dizem que na hora do parto ele vira um pai. Dizem que ajuda, que dá força, que acalma a gente. Duvido... Os alemães não são pais de ninguém. O negócio deles é a objetividade. Doze mil partos. Deus do céu! E eu pensando que era folclore.

— Noventa quilos?

— É...

— Minha filha, como você conseguiu engordar tanto?

— Olha, doutor Hansen, sinceramente não sei. Eu não acho que esteja comendo tanto assim. Eu simplesmente não entendo.

O fato é que a balança não mente. O fato é que eu estou pesando noventa quilos.

— Pode entrar na sala de exame.
— Tira a roupa?
— Só a parte de baixo.
Só a parte de baixo? Que delícia. Só a parte de baixo. E agora vai começar tudo de novo. Pelo menos nesses nove meses ninguém tocou na minha parte de baixo. Pelo menos nesse tempo fiquei eu sozinha com o meu bebê. Pelo menos eu tive um motivo digno para me transformar nessa baleia inchada. E agora vem esse doutor Hansen querendo me enfiar o dedo tudo de novo. E eu vou ter de abrir as pernas pra esse alemão explorador de nenês. Bom. Pelo menos dizem que ele já viu doze mil bocetas. E esse é um número possível. Nesse caso, a minha não vai fazer diferença. Pelo menos!
— Põe uma perna aqui e outra ali.
Mas o que eles acham? Eles estão loucos? Eu não vou abrir as pernas com essa bruxa que está de olho nas minhas banhas aí na frente, não.
— Eu não consigo me deitar. Se eu deito, me dá azia.
— Tem de deitar.
— Me dá azia. Me dá falta de ar.
— Abre as pernas.
— Eu não quero.
A bruxa não saiu da sala.
— Mas, doutor Hansen...
— Nossa, como você tá inchada...
Bom, pelo menos a bruxa reconhece que parte do meu peso se deve ao inchaço.
— Você não tomou o diurético que eu mandei?

— Tomei. O problema é que me deu urticária.
— Ah, isso é normal.
Claro que é normal. Depois de doze mil partos, tudo é normal pra ele. Até urticária, a essa altura do campeonato.
— Por que não usa meias Kendall?
Meias Kendall! Tem coisa mais feia e mais incômoda do que meias Kendall?
— Eu uso, às vezes. Mas é que está muito calor.
— Grávida de verão é fogo.
— Seu pé está parecendo um pão de queijo.
Noventa quilos, meu Deus! Eu nunca passei dos sessenta. Como esse homem me deixou engordar tanto? Isso é um porre de hormônio. Ele devia ter me mandado pro Vigilantes do Peso. Ele devia ter me avisado. Uma alface, um quilo. Um bife, quatro quilos, e uma fome... Noventa quilos...
— A luva, doutor.
Agora ele vai enfiar esse dedo duro de alemão.
— Ai, doutor Hansen! Tá doendo...
Para, por favor! Para! Tá tudo fechado, tá tudo duro. Será que vai machucar meu bebê? Para, pelo amor de Deus.
— Pronto. Acabou. Pode vir até o consultório.
Pode vir até o consultório! Esse médico tá é me gozando. E ele pensa que eu não sei que ele já está com outra cliente? Ele pensa que eu não sei que ele atende três clientes ao mesmo tempo. Mas eu duvido, sim, duvido que alguma delas esteja tão gorda quanto eu! Noventa quilos!
— Pode esperar aqui que o doutor já vem.

Eu sei que a culpa é minha. Eu devia ter seguido os conselhos daquela mulher. Aquela mulher é que estava certa. No começo, enquanto eu ainda era magra, enquanto eu ainda estava reconhecível. Agora não. Agora eu peso noventa quilos, meus pés viraram dois pães de queijo e minhas pernas parecem dois troncos espelhados. Mas, no primeiro momento, enquanto era tempo, eu não ouvia nada. Porque eu só pensava no meu bebê, que era a coisa que eu mais queria. E resolvi me entregar a ele, certa de que daria tudo e não perderia nada; certa de que eu poderia dar-lhe de comer a vontade, sem que isso prejudicasse meu corpo; certa de que eu poderia ser mãe, sem atravessar uma fogueira. Meu filho... Meu primeiro filho é homem...
— Bom...
— Então, doutor?
— Está tudo bem.
— O coraçãozinho está bem?
— Tudo bem. Um bebezão.
— Graças a Deus!
Eu sei que é isso que importa, o bebê, pois quanto a mim... É isso mesmo... Destruição total. E não pense que é só por causa do excesso de peso.
— E a azia, melhorou?
— Olha, doutor, agora eu durmo sentada.
— Sentada?
— Sim. Foi o melhor jeito que arranjei pra evitar a azia.
Azia. Aquela sensação de metal subindo a garganta. A noite inteira.

— É o peso do bebê que pressiona o estômago, que por sua vez pressiona o esôfago e aí...
— Não precisa mais falar. Aí a grávida não dorme mais. Acorda de meia em meia hora e é obrigada a tomar leite para conseguir voltar a dormir. E aí, noventa quilos...
— Vou te dar um remedinho que vai passar.
— Mas e a falta de ar?
— Bom, a falta de ar se deve também ao peso do bebê, que pressiona a veia cava e acaba dificultando a oxigenação do sangue.
— Mas isso é normal?
— Tudo normal.

Sim, ele já quer me dispensar. Quanto mais rápido melhor. Ele pensa que não sei que tem mais duas clientes esperando por ele na mesma situação que eu. Só que nenhuma pesa noventa quilos. Disso eu tenho certeza. Mas eu não vou deixar ele me dispensar assim, não, porque ainda tenho uma pergunta a fazer, e eu estou pagando. Ele vai ter que me responder.

— Doutor, eu estou cheia de verrugas.
— Deixa eu ver. Ah, isso não é nada!
— Como não é nada? São verrugas, doutor. Verruguinhas, mas eu não tinha nada no começo.
— Isso é por causa de excesso de hormônio placentário.
— E isso passa?
— Passa... Tudo bem. Tudo normal.

Claro que está tudo normal. Depois de doze mil partos, esse alemão já viu de tudo. Bocetas brancas,

rosas e amarelas. Verrugas grandes, médias e pequenas. Azias crônicas, agudas e superficiais. Falta de ar de todos os tipos. Magras, gordas e obesas. Mas, e eu?
— Volta na semana que vem. O colo ainda está fechado.
— Mas o senhor não disse que...
— Eu não posso fazer previsões... O baixinho vem a hora que quiser.
Se é assim, eu vou pra casa. Eu vou esperar o tempo que for. É tudo uma questão de dias. Quiçá de horas. Mais dois ou três quilos não farão diferença. Eu quero dormir. Eu estou com sono. Eu estou gorda. Eu estou inchada. Eu não tenho condições de fazer mais nada. Meus pés parecem dois pães de queijo. Minhas pernas estão esticadas ao extremo. Eu estou cansada. Eu tenho azia. Eu tenho falta de ar. Eu peso noventa quilos. Meu nariz está inchado. Meu cabelo está seco. Eu estou cheia de verrugas. Eu estou irreconhecível. Eu estou no nono mês de gravidez. Não me resta mais nada, além de esperar.

PARTE 2 - O abismo

Quando tudo parece perdido, eis que surgem as dores. De repente, é aquele corre-corre, pega a mala, cadê a chave?, entra no carro, fura o sinal, ultrapassa o trem, voa. A espera acabou. Por fim, as coisas estão acontecendo rapidamente.

— Ficou verde! Anda!

Mas, quando eu chego no hospital, certa de um fim iminente, ouço uma voz que diz.

— Pode se internar, mãe. Ainda falta muito.

— Como ainda falta muito? A senhora tem certeza? E essas dores horríveis?

— Que dores horríveis, minha querida? Isso aí é só o começo.

Como só o começo? Essa obstetriz está doida. Eu estou sentindo. Eu estou pegando fogo. Está tudo doendo. Eu estou com azia. Eu não tenho mais posição. O meu filho só pode estar nascendo.

— Não, minha filha. Ele não está nascendo. Deita aqui, minha querida. É o primeiro filho?

— É.

— Então. Agora você vai pro quarto, deita tranquila na cama, que ainda falta muito.

Eu não tenho o que dizer. Eu não posso provar nada. Eu não posso chamar o diretor do hospital e mandar despedir essas mulheres loucas. Eu estou na mão delas. Acho que não aguento mais. Eu estou à beira de um abismo. Acho que vou começar a chorar.

— Tá chorando por quê, minha filha?

— Nada. Nada.

— Isso. Fica calminha, tá bom.
— Tá bom.
— Tá calminha?
— Tô.
— Então vira de lado que nós vamos fazer a tricotomia.
— Tricoto... o quê?
Ah, sim. Tricotomia. Um nome verdadeiramente científico para uma mera raspagem dos pelos pubianos.
— Mas já, minha senhora?
— Estamos aqui pra isso, não é mesmo?
Tudo bem. Já que é preciso, vamos lá. Vamos abrir as pernas para a primeira que passar. Trata-se de uma enfermeira velha. Será que ela também já viu doze mil bocetas? Espero que sim, porque eu não me sinto nada bem em abrir as pernas pra ela.
— Pronto. Acabou. Viu como foi rápido?
— Obrigada.
Eu me levanto e vou até o banheiro conferir o resultado. Que linda visão! Que maravilha estética! Estou parecendo uma galinha depenada.
— Que vergonha, meu Deus! Que vergonha!
— Vergonha nada, minha filha. Não precisa chorar.
— É.
— Tá tudo bem?
— Tudo. Tudo bem.
— Tá calminha?
— Calmiiiiiiiinha!
— Então tá bom. Então agora vira de lado que nós vamos fazer a lavagem.

Lavagem? Já? Ah, não! Espera aí. Elas pensam o quê? Que eu estou numa granja? Tem que ter psicologia, o que é isso? Ela acabou de me raspar, agora já quer me enfiar um tubo no cu? Pelo amor de Deus! Tenha santa paciência!

— Quem está precisando de paciência é você, minha querida! Vamos, vira! Eu tenho mais o que fazer!

— Mas precisa ser agora?

— Eu já estou aqui. Vamos, vira!

— Mas lavagem não é uma coisa obsoleta?

— Obso... o quê??

— Vocês ainda fazem lavagem?

— Mas é claro, minha querida. Já imaginou descer pra sala de parto com os intestinos repletos?

— Eu não quero!

— Como não quer, minha querida?

— Não quero.

— Para de brincadeira, Maria Júlia.

— Eu não estou brincando.

— Vamos, querida, vira de lado.

— Não viro.

— Espera um minutinho. Eu vou chamar a obstetriz.

A enfermeira sai, enfezada. Quem está precisando de lavagem é ela. Eu só quero é um mínimo de compaixão. Por favor, olhem o meu estado! Eu estou pesando noventa quilos, eu tenho azia, eu acabei de me transformar numa galinha depenada, meu corpo todo pega fogo, e cadê o doutor Hansen que não chega?

— Bom dia, Maria Júlia.

— Doutor Haaaaaaaansen!

Mas que alívio eu sinto ao vê-lo entrando em meu quarto. Agora, sim. Agora eu estou salva!
— Ouvi dizer que você se recusou a fazer a lavagem.
— Não é isso, doutor Hansen.
— É o quê?
— Eu só queria um tempo.
— Ah! Então muito bem. Pode entrar a enfermeira. É claro que agora eu obedeço. Eu faço o que ele quiser. Se ele fez doze mil partos e me aconselha a lavagem, não há mais problema. Eu me viro de lado e...
— Dá licença! Dá licença!
Antes de dar a descarga, eu paro pra ver o avesso do meu intestino depositado na latrina. Uma beleza. Uma coisa linda. E sabe que nem doeu!
— Eu não disse? Coisinha à toa.
— E como é rápido o efeito, não?
— Uma loucura!
A enfermeira se despede amigavelmente. Agora me deixam em paz. Agora eu me deito em meu corpo finalmente. Agora olho a janela, enquanto pego fogo. Como está lindo o dia, as nuvens passeando lentas pelo céu, os carros lá embaixo, tão frenéticos... Mal sabem eles que, no céu, as nuvens passeiam calmamente. E elas, tão puras e brancas, mal sabem que eu estou pegando fogo. Mal sabem que eu estou morrendo.
— Enfermeira! Por favor!
Mas quem entra não é a enfermeira. É o marido, o pai. O pai e seus parentes. Muitos parentes. Chegam também meus pais e mais parentes. Parentes que mal conheço vêm assistir a minha agonia. Eles me olham

penalizados. Eles pensam que estou sofrendo. Eles estão enganados. Eu estou morrendo, e eles vieram ao meu velório. Socorro, senhor!

— Cadê a enfermeira que não chega?
— Chamou?
— Chamei!
— E o que foi?
— Chega aqui no meu ouvido.
— Fala.
— Pelo amor de Deus, enfermeira, toca essa gente daqui pra fora!

Os parentes saem. Vão tomar cafezinho no corredor. A enfermeira também sai. Vai chamar a obstetriz. O quarto volta a ficar calmo. Eu, o pai e o filho. O fogo. As nuvens. As dores. Acho que o meu corpo se fundiu ao colchão. Acho que não tenho mais corpo. Acho que me perdi.

— Chamou?
— Graças a Deus!
— E o que foi?
— Eu não tô mais aguentando. A senhora faz o favor de dar uma olhadinha?
— Espera um minutinho. Vou chamar o doutor Hansen.

O doutor Hansen... Ah, meu Deus... O dedo duro. O dedo duro. Eu não aguento. É grande demais a distância entre o meu útero e o mundo. Eu quero pegar um atalho. Eu vou pedir uma cesariana. Acho que vai ser melhor. Eu acho que vai ser melhooooooor!

— Essa foi forte!

— Calma, minha filha. Ainda não tá na hora.
— Espera aí, doutor Hansen! Como assim, não está na hora?
— Minha filha. O baixinho vem a hora que quiser. Você ainda não tem dilatação suficiente.
— Como, não tenho? E essas dores?
— Tudo bem. Vou estourar a bolsa pra apressar as coisas.

Estourar a bolsa? Como assim? Já? Esse doutor Hansen deve estar louco. Se ele estoura a bolsa, o nenê vai ser obrigado a nascer!

— Sim. E não é pra isso que estamos aqui?
— É. Mas eu estou com medo.
— Medo de quê, minha filha? Para de brincadeira. Agora vamos! Abre as pernas!

Não quero abrir as pernas. Eu não tenho mais pernas. Eu estou pegando fogo. O doutor Hansen não sabe, mas eu estou morrendo.

— E então? Abre ou não abre?

Estou na beira do abismo. Não há outra saída a não ser a minha vagina. Eu abro as pernas. Doze mil e um. Faço o que ele mandar.

— Mas essa agulha não está um pouco grande, doutor?
— Fica calma, Maria Júlia, fica calma. Isso aqui é agulha de furar bolsa. É agulha própria. Tudo vai dar certo.

Então o doutor Hansen enfia a agulha entre as minhas pernas e, sem que eu sinta dor, a grande água quente se arrebenta sobre a cama, molhando minhas pernas bambas, como num grande mijo inaugural.

— Agora vai.

Agora sim. Agora as dores estão fortes. Agora as dores estão tão fortes que eu não tenho mais saída. Sou obrigada. Pulo no abismo.

As nuvens, de repente, começaram a rir.

Eu estou levitando. Agora eu sei. Meu filho está nascendo, porque o fogo tomou conta do meu corpo. Eu estou em brasa. Nada mais me obedece. Agora, sim. Eu morri.

— Pode trazer a maca.

Com toda a seriedade, a enfermeira preta e velha me embrulha como um defunto. E me leva, aos tremores, para a grande sala verde. E lá chegando, ó que alívio, vejo logo a grande figura do doutor Hansen.

— E aí, está doendo?

A piada não tem graça. Eu não tenho vontade. Mas eu dou uma risada.

— Agora senta. Vamos dar a anestesia.

Eu não tenho mais dúvidas. As contrações. Elas aumentam. Minha respiração está descontrolada. O abismo. Caio nele cada vez mais rápido.

— Agora deita. Abre as pernas.

Não vejo mais problemas. Eu abro as pernas. Mostro minha boceta de galinha depenada pra quem quiser ver. Agora ela não é mais uma boceta de galinha depenada. Nem é mais uma boceta. O buraco que eu tenho entre as pernas virou um portal. E os dez homens presentes, vestidos de verde como extraterrestres, se prostam à minha frente, à espera daquele que vem de longe.

— Vem meu filho, é chegada a tua hora.

A anestesia finalmente pegou. Sinto que a terra está cada vez mais próxima. Sei disso porque o doutor Hansen não faz mais piadas. O doutor Hansen ficou sério. O doutor Hansen está mudo. Então ele pega minhas pernas inertes pela anestesia e as tranca no alto. Eu ouço o estampido do lacre. Estou paralítica e imobilizada. Estou caindo. A terra está cada vez mais próxima. Não há outra saída.

— Força, Maria Júlia, força! Respira uma vez, respira duas, respira três.

— Eu não aguento, mais!

— Força, menina, força! Seu filho está nascendo!

Começo a sentir de novo o cheiro da Terra próxima. Sei que o abismo está quase acabando. De alguma maneira nova, sinto o ar entrando pela minha boca. Finalmente estou pronta. Finalmente vamos nos separar.

— Pode vir, meu filho, pode vir. Mamãe tá aqui.

Então eu ouço aquele choro que começa frágil e, aos poucos, se torna um grito de gigante. E eis que a sala gélida se transforma numa grande igreja cálida, pois acaba de nascer o amor perfeito. E, de repente, já não existem mais deuses, nem existem os médicos, nem os azulejos, nem as verrugas, nem o fogo que me consumia. O tempo simplesmente parou e eu faço sentido. O meu primeiro filho acaba de nascer.

25 de agosto de 1995

Anna Muylaert nasceu em São Paulo em 1964; estudou cinema na Escola de Comunicações e Artes da USP. Nas últimas décadas, fez roteiros para televisão (*Mundo da Lua, Castelo Rá-Tim--Bum, Um Menino Muito Maluquinho, As Canalha*s e outros) e para cinema (*O Ano em que Meus Pais Saíram de Férias, Xingu* e outros). Dirigiu e escreveu cinco longas-metragens, entre eles *Durval Discos, É Proibido Fumar* e *Que Horas Ela Volta*. Este último, de 2015, foi lançado em trinta países e vencedor do Prêmio Especial do Júri no Sundance Film Festival e do Panorama Audience Award na Berlinale 2015. Anna é membra da Academia de Artes e Ciências de Hollywood. Escreveu o livro de poemas *Vai!* (Massao Ohno), quatro títulos da Coleção Castelo Rá-Tim-Bum (Companhia das Letrinhas) e livros do Menino Maluquinho, baseados na obra de Ziraldo (Melhoramentos). *Quando o Sangue Sobe à Cabeça* é seu primeiro livro de contos. É mãe de José e Joaquim.

Copyright © by Anna Muylaert
Copyright © 2020 by Lote 42 para a presente edição

Todos os direitos reservados. Nenhuma parte desta edição pode ser utilizada ou reproduzida — em qualquer meio ou forma, seja mecânico ou eletrônico, fotocópia, gravação etc. — nem apropriada ou estocada em sistema de banco de dados " sem a expressa autorização da editora.

Texto fixado conforme as regras do novo Acordo Ortográfico da Língua Portuguesa (Decreto Legislativo n.º 54, de 1995).

Edição-geral: **João Varella e Cecilia Arbolave**
Projeto gráfico: **Gustavo Piqueira e Samia Jacintho / Casa Rex**
Preparação de texto: **Marcel Gugoni**
Revisão: **Ana Maria Barbosa**

1ª edição, 2020

Dados Internacionais de Catalogação na Publicação (CIP) de acordo com ISBD

M993q   Muylaert, Anna
            Quando o sangue sobe à cabeça / Anna Muylaert. - São Paulo : Lote 42, 2019.
            136 p. ; 14cm x 21cm.
            Inclui índice.
            ISBN: 978-85-66740-46-2
            1. Literatura brasileira. 2. Contos. 3. Temática feminina. I. Título.

                                          CDD 869.8992301
2019-1743   CDU 81.134.3(81)-34

Elaborado por Vagner Rodolfo da Silva - CRB-8/9410

LOTE 42   Rua Barão de Tatuí, 302, sala 42
São Paulo, SP   01226-030
lote42.com.br

Quando o Sangue Sobe à Cabeça é o livro nº **44** da Lote 42.

Este livro foi impresso na gráfica Rettec em papel Pólen Soft 80 g/m² no miolo e Pólen Bold 90 g/m² na sobrecapa. A capa foi feita em serigrafia no papel Colorplus Marrocos 240 g/m² nas oficinas gráficas da Casa Rex. O manuseio final foi realizado pela Ruth Acabamentos no verão de 2020, em São Paulo.